D0504409

WAT EEN VOGELTJE MIJ INFLUISTERDE

Biz Stone

WAT EEN VOGELTJE MIJ INFLUISTERDE

Bekentenissen van een creatieve geest

Uitgeverij Business Contact
Amsterdam/Antwerpen

Voor Livia

Vertaling Ingrid B. Ottevanger
Oorspronkelijke titel *Things a Little Bird Told Me*
Oorspronkelijke uitgever Hachette Book Group
This edition published by arrangement with Grand Central Publishing, New York, New York, USA.
Omslag Jos Peters naar een ontwerp van © Chris Silas Neal
Omslagbeeld Paige Green
Typografie binnenwerk Elgraphic bv, Vlaardingen
Illustraties binnenwerk Patrick Barth
Drukkerij Wöhrmann

ISBN 978 90 470 0738 8
D/2014/0108/753
NUR 780

Uitgeverij Business Contact maakt deel uit van
Uitgeverij Atlas Contact

www.businesscontact.nl

INHOUD

Inleiding:

EEN GENIE

Op 7 oktober 2003 maakte een 'in Boston gevestigde blog-entiteit' met de naam Genius Labs bekend dat ze door Google was overgenomen. Het persbericht werd opgepikt door verschillende nieuwsagentschappen en algauw stond Genius Labs in Wikipedia op de 'Lijst van Acquisities door Google'. Zodra iets op Wikipedia belandt, wordt het vaak als een feit beschouwd. En in zekere zin was het dat ook: Genius Labs wás een entiteit. Ík was het. Het verhaal van hoe ik werd overgenomen – dat wil zeggen, ingehuurd – door Google zegt veel over hoe ik mijn weg in de wereld heb gevonden.

Een jaar eerder zag de toekomst er voor de entiteit ik niet zonnig uit. Mijn eerste bedrijfje, een website die Xanga heette en die zijn oorsprong vond in het weinig doordachte idee dat ik met een stel vrienden had gekregen om 'een internetbedrijf op te richten', werd niet helemaal wat ik ervan had gehoopt. Ik was het zat om zonder geld in New York te zitten en stapte er daarom uit – van alle steden waarin je zonder geld kunt zitten, is New York echt een van de ergste. Mijn vriendin Livia en ik vertrokken naar Wellesley (Massachusetts), waar ik vandaan kwam, met een creditcardschuld van enkele tientallen duizenden dollars die als een molensteen om onze nek hing. We namen onze intrek bij mijn moeder in de kelder. Ik had geen werk. Ik probeerde een oud exemplaar van Photoshop te verkopen op eBay (wat waarschijnlijk illegaal is), maar niemand wilde het hebben. Op een bepaald moment vroeg ik uit wanhoop zelfs of ik weer terug mocht komen bij het eerste bedrijfje, maar mijn vroegere collega's zeiden nee.

Het enige lichtpuntje in mijn zogenaamde professionele leven was bloggen. Bij het internetbedrijfje hadden we software gebruikt van een bedrijf dat Pyra heette, en ik raakte geïnteresseerd in het werk van een van de oprichters van Pyra, ene Evan Williams. Ik begon mijn eigen blog te schrijven en volgde die van Evan. In 1999 was ik een van de eersten die een nieuw product van Pyra mochten testen: een weblog-tool genaamd Blogger. Net als voor veel mensen was bloggen voor mij een openbaring, misschien zelfs een revolutie – een vorm van democratiseren van informatie op een heel nieuwe schaal.

Xanga was een bloggerscommunity, maar omdat ik daar weg was, stond ik aan de zijlijn van die revolutie, blut en richtingloos in mijn moeders kelder. Maar mijn blog was iets heel anders. Mijn blog was mijn alter ego. Mijn blog was een geheel verzonnen schepping, die overliep van zelfvertrouwen en bijna hallucinogene vormen aannam. Het begon allemaal met de titel, geïnspireerd door een oude Bugs Bunnycartoon met Wile E. Coyote als gastster. In een bepaalde scène zegt de ultrabeschaafde coyote: 'Staat u mij toe dat ik mezelf voorstel', en vervolgens overhandigt hij met een zwierig gebaar zijn visitekaartje aan Bugs. Er staat op: WILE E. COYOTE, GENIE. Door zichzelf op zijn kaartje als genie te presenteren belichaamt Wile E. Coyote de ziel van de ondernemer in Silicon Valley. Als je een bedrijf begint, heb je soms alleen nog maar een idee in je hoofd. En soms heb je niet eens een idee, maar heb je slechts het ultieme vertrouwen dat je op een goede dag wél een geweldig idee krijgt. Je moet ergens beginnen, dus verklaar je jezelf tot ondernemer, net zoals Wile E. zichzelf tot genie verklaart. Je laat visitekaartjes drukken en geeft jezelf de titel OPRICHTER EN CEO.

Ik had geen bedrijf – nog niet. Maar geheel in de geest van Wile E. doopte ik mijn blog *Biz Stone, genie*. Ik liet kaartjes drukken met dezelfde tekst erop. En ik zorgde ervoor dat ik in mijn blogposts mijn rol goed speelde. Genie Biz beweerde nieuwe producten te bouwen met oneindig veel middelen en een team wetenschappers van wereldklasse, en dat alles in zijn hoofdkwartier, dat vanzelfsprekend Genius Labs heette.

Een van mijn posts in juli 2002 was: 'Het schaalmodel van een Japanse superjet die tweemaal zo snel moet kunnen vliegen als de Concorde is tijdens de testvlucht neergestort. [...] Misschien moet ik allerlei stukken tekenen om miljoenen dollars binnen te halen voor de verdere ontwikkeling van hybride luchttransport.'

De Biz in het echte leven investeerde niet in hybride luchttransport. Ik wist echter wél een baantje in de wacht te slepen als 'internetspecialist' bij Wellesley College, en Livia vond ook een baan. We huurden woonruimte in de buurt van de campus, zodat ik lopend naar mijn werk kon. Het was eigenlijk geen appartement, maar meer een zolder van een huis, maar het was in elk geval niet langer de kelder van mijn moeder.

Mijn alter ego, Genie Biz, bleef intussen vertrouwen uitstralen en kreeg steeds meer aanhang. Hij was Dr. Jekyll en ik was

Mr. Hyde. Maar terwijl ik deze poppenkast overeind hield, begon er daadwerkelijk iets te gebeuren. Mijn posts waren niet meer alleen maar maf. Er zaten steeds vaker gedachten bij die niet meer pasten bij het karakter van een gestoorde wetenschapper: ze waren van mezelf. Naarmate ik meer over internet schreef en nadacht over welke ontwikkelingen daar mogelijk waren, stuitte ik steeds vaker op ideeën die ik op een dag in mijn werk zou opnemen. In september 2003 postte ik:

> Mijn RSS-reader [een newsfeed van een perssyndicaat] staat op 255 karakters. Misschien is 255 een nieuwe blogstandaard? [...] Het lijkt een beperking, maar als mensen per dag veel blogs op hun iPod en mobiele telefoon gaan lezen, is het misschien wel een goeie standaard.

Ik kon toen nog niet weten hoe dit soort ideeën, die op dat moment onbeduidend leken, op een dag de wereld zouden veranderen. En als ik dat zo zeg, doe ik dat met het bescheiden understatement van een zelfbenoemd genie.

—

Begin 2003 nam Google Evan Williams' bedrijf Blogger over. In de vier jaar die nodig waren geweest om bloggen te laten uitgroeien van een liefhebberij van een stelletje nerds tot een begrip, hadden Ev en ik elkaar nooit ontmoet of zelfs maar met elkaar gebeld. Maar ik had hem wel al per e-mail geïnterviewd voor het online magazine *Web Review*, en ik had zijn mailadres nog steeds. Ik probeerde voldoende moed te verzamelen om contact met hem op te nemen. Ik stuurde hem een mailtje waarin ik hem feliciteerde met de verkoop van Blogger en schreef: 'Ik heb mezelf altijd gezien als het ontbrekende zevende lid in je team. Mocht je er ooit over denken meer mensen aan te trekken, geef me dan een seintje.'

Het bleek dat Ev zonder dat ik het wist ook mijn blog volgde. In de tech-wereld betekende dat dat we praktisch bloedbroeders waren. Hoewel hij zich had omringd met de beste technici ter wereld, had hij behoefte aan iemand die snapte hoe sociale media daadwerkelijk werken, iemand die doorhad dat het over mensen gaat en niet alleen over technologie, en het leek hem dat ik de juiste persoon was.

Hij mailde meteen terug: 'Wil je hier werken?'

Ik antwoordde: 'Ja hoor', en ik dacht dat we klaar waren. Ik had een nieuwe baan aan de westkust. Eitje.

Ik wist dat toen nog niet, maar achter de schermen moest Evan nog aan wat touwtjes trekken om mij te kunnen aannemen. Nou ja, touwtjes, eigenlijk waren het meer behoorlijk dikke touwen. Of zelfs kabels, het soort waaraan hangbruggen in de lucht worden gehouden. Google had de naam dat ze alleen mensen aannamen met een studie informatica, het liefst daarin gepromoveerd. Ze waren in elk geval absoluut niet gecharmeerd van schoolverlaters zoals ik. Ten slotte gingen de hogere heren bij Google er met tegenzin mee akkoord dat Wayne Rosing, destijds Senior Vice President Engineering van Google, contact met mij zou opnemen.

De dag van dat telefoongesprek zat ik in mijn zolderappartement te staren naar de witte, hoekige Radio Shack-telefoon die ik al had toen ik nog maar een jochie was. Er zat een snoer aan. Eigenlijk hoorde het eerder thuis in een museum. Ik had nog nooit een sollicitatiegesprek gevoerd en niemand had me erop voorbereid. Hoewel ik er heel naïef van uitging dat ik de baan al in mijn zak had, begreep ik nog net wel dat een gesprek met Wayne Rosing voor iemand in mijn positie heel wat was. Ik was zenuwachtig dat ik het zou verknoeien, en daar had ik ook alle redenen voor. Een paar dagen eerder was ik gebeld door een vrouw van personeelszaken, en ik had een beetje lollig tegen haar zitten doen. Toen ze vroeg of ik een hogeronderwijsdiploma had, zei ik van niet, maar dat ik op tv een reclame had gezien van waar ik er een kon krijgen. Ze kon er niet om lachen. Het was duidelijk dat ik op dit gebied niet kon vertrouwen op mijn intuïtie. De Biz in het echte leven werd verteerd door twijfel aan zichzelf.

De telefoon ging, en terwijl ik mijn hand ernaar uitstak, kwam er iets over me. Op dat moment besloot ik dat ik alle mislukkingen en hopeloosheid die ik altijd met me meezeulde, van me af zou laten vallen. In plaats daarvan zou ik volledig opgaan in mijn alter ego: de man van Genius Labs. Genie Biz was degene die de telefoon opnam.

Wayne vroeg me eerst naar mijn ervaring. Hij had ongetwijfeld met die personeelsmevrouw gesproken, want zijn eerste vraag was waarom ik mijn studie niet had afgemaakt. Met al mijn zelfvertrouwen legde ik uit dat ik een baan aangeboden had gekregen als ontwerper van boekomslagen, met het vooruitzicht samen te gaan werken met een artdirector. Ik had dat als een goede leerschool beschouwd. Verderop in het gesprek gaf ik toe dat mijn eigen start-up een mislukking was geworden – in elk geval voor mij –, maar ik was er weggegaan, legde ik uit, omdat de cultuur niet bij mijn persoonlijkheid paste. In Silicon Valley was de ervaring van een mislukte start-up iets waardevols. Ik vertelde over een boek dat ik over bloggen had geschreven.

Op een gegeven moment zei ik midden tussen zijn vragen door: 'Zeg Wayne, waar woon je eigenlijk?' Het bracht hem duidelijk van zijn stuk. Ik moet ook wel een beetje eng hebben geklonken.

'Waarom wil je weten waar ik woon?' vroeg hij.

'Als ik besluit deze baan te nemen, moet ik een goede plek uitkiezen,' zei ik.

Besluit deze baan te nemen. Ik had niet eens door dat ik brutaal was. Maar op de een of andere manier werkte het wel. Ik kreeg de baan. Ik ging bij Google werken. Evan nodigde me uit om naar Californië te komen om met het team kennis te maken. Met zijn schijnbaar onbeperkte middelen, wetenschappers en geheime projecten was Google de plaats op aarde die het dichtst bij mijn gefantaseerde Genius Labs in de buurt kwam.

—

Een paar jaar later zouden Ev en ik bij Google weggaan om samen een bedrijf op te richten. Ik was bij Google gekomen vóór de beursgang en heb dus een heleboel waardevolle aandelen laten schieten. Maar ik was niet naar Silicon Valley verhuisd voor een lekker baantje – ik was gekomen om een risico te nemen, me een toekomst voor te stellen en mezelf opnieuw uit te vinden. Mijn eerste start-up was mislukt. Maar mijn volgende start-up was Twitter.

—

Dit boek is meer dan een 'van krantenjongen tot miljonair'-verhaal. Het is een verhaal over iets maken uit niets, over je talenten laten samensmelten met je ambities en over wat je leert als je naar de wereld kijkt door een lens met onbegrensde mogelijkheden. Gewoon hard werken is natuurlijk prima en ook belangrijk, maar ideeën zijn de drijvende kracht achter onszelf, achter ons als individu, bedrijf, land of mondiale gemeenschap. Creativiteit is wat ons uniek, geïnspireerd en gelukkig maakt.

Dit boek gaat over hoe we al die creativiteit in en om ons heen kunnen aanboren en inzetten.

Ik ben geen genie, maar ik heb wel altijd vertrouwen in mezelf gehad en, belangrijker, in andere mensen. Het grootste talent dat ik altijd al heb gehad en door de jaren heen verder heb ontwikkeld, is het vermogen om naar mensen te luisteren: de nerds van Google, de ontevreden gebruikers van Twitter, mijn gerespecteerde collega's en natuurlijk altijd mijn lieve vrouw. Wat ik daarvan heb geleerd, in de periode van ruim vijf jaar waarin ik Twitter heb opgericht en geleid, en ook daarvoor, toen ik met mijn start-ups bezig was, is dat de technologie die ons leven lijkt te veranderen in wezen geen wonder van uitvinding en techniek is. Hoeveel machines we ook aan het netwerk hingen of hoe verfijnd de algoritmes ook waren geworden: datgene waaraan ik bij Twitter heb gewerkt en waarvan ik in die periode getuige ben geweest, was en blijft een triomf, niet van de technologie, maar van de mens. Ik heb gezien dat er overal goede mensen zijn. Ik besefte dat een bedrijf groot kan worden, dat het iets goeds voor de maatschappij kan doen, en dat het er leuk kan zijn. Deze drie doelen kunnen naast elkaar bestaan, zonder dat ze worden beheerst door de nettowinst. Mensen kunnen, mits in het bezit van de juiste gereedschappen, verbazingwekkende dingen voor elkaar krijgen. We kunnen ons leven veranderen. We kunnen de wereld veranderen.

De persoonlijke verhalen in dit boek – ze komen uit mijn jeugd, mijn werk en mijn leven – gaan over kansen, creativiteit, mislukking, empathie, altruïsme, kwetsbaarheid, ambitie, onnozelheid, kennis, relaties, respect, over wat ik al doende heb geleerd en hoe ik de mens ben gaan zien. Dankzij de inzichten uit deze ervaringen heb ik een unieke kijk gekregen op zakendoen en op hoe je succes kunt definiëren in de eenentwintigste eeuw, op geluk en op hoe de mens in elkaar zit. Dat klinkt misschien behoorlijk ambitieus, maar als we even niet druk bezig zijn met het ontwikkelen van hybride luchttransport, dan leggen we de lat hoog hier bij Genius Labs. Ik wil niet zeggen dat ik alle antwoorden weet. Of eigenlijk... streep dat maar weer door: misschien wil ik eigenlijk wél zeggen dat ik alle antwoorden weet. Wat is een betere manier om meer zicht te krijgen op de vragen?

1

HOE MOEILIJK KAN HET ZIJN?

Met één telefoongesprekje had Genie Biz dus een baan in de wacht weten te slepen bij 'Google-voor-de-beursgang'. Tenminste, dat dacht hij.

Na mijn gesprek met Wayne Rosing dacht ik dat ik gewoon naar Californië zou rijden en met mijn nieuwe leven zou beginnen. In afwachting daarvan hadden mijn aanstaande werkgevers me gevraagd een vlucht te boeken naar de Google-kantoren in Mountain View om daar persoonlijk met hen kennis te maken en de details af te handelen.

In die tijd was Evan Williams mijn grote held. Hij had me nog nooit gezien en toch bij Google doorgedrukt dat ze me zouden aannemen, en nu zou hij me op het vliegveld ophalen en naar mijn nieuwe werkplek rijden. Ik had geen idee wat voor een grote rol Evan in mijn leven zou gaan spelen, en dat hij en ik op een dag samen met Twitter zouden beginnen. In die tijd was ik gewoon blij met de lift.

Ik kwam met een vroege vlucht aan op het vliegveld van San Francisco, en toen Evan me oppikte in zijn gele Subaru, zat Jason Goldman, zijn rechterhand bij Blogger, op de bijrijdersstoel. Ik sprong op de achterbank, en terwijl we naar Google reden, zat ik meteen al grappig te doen over mijn vlucht. Zoals gebruikelijk zal ik wel een paar misplaatste opmerkingen hebben gemaakt, want ik weet nog dat Evan en Jason moesten lachen en zeiden: 'We hebben die kerel vijf seconden geleden voor het eerst ontmoet en moet je horen wat voor flauwekul hij nu al zit te verkopen.' Ik kom altijd een beetje heftig over, maar ik merkte dat ze sympathiek en informeel waren en me wel mochten. Daar was ik ook niet verbaasd over. Ik las Evans blog al zo veel jaren dat ik wel wist dat daar een bedachtzame man zat. Hij droeg een spijkerbroek en een T-shirt en hij had een zonnebril op. Hij had een tenger postuur, een grote grijns op zijn gezicht en hij reed als een waanzinnige. Goldman heeft een heel merkwaardige manier van lachen: meestal eindigt zijn gelach met een heel hoog geluid.

Omdat Google nog geen beursgenoteerd bedrijf was, was het nog steeds een start-up, maar het bestond al een paar jaar en werd algemeen beschouwd als zeer succesvol. Googleplex bestond nog niet, er was alleen een stel mensen die in geleaste gipsstenen gebouwen werkten.

Evan leidde me rond en stelde me voor aan het Bloggerteam. Na het rondje door het kantoor nam hij me even mee naar een feestje in Mountain View. Daarna reden we naar San Francisco om met zijn moeder, die op bezoek was, en zijn vriendin in het Marina District in een Italiaans restaurant te gaan eten. Na het eten en veel wijn wilde ik naar mijn hotel – de volgende dag zou ik bij Google nog meer ontmoetingen hebben en ik zat nog in oostkusttijd – maar Evan had andere plannen voor ons.

'Kom, we gaan naar Mission! Ik zal je een paar van mijn favoriete cafés laten zien.'

Evan, zijn vriendin en ik feestten door in een café dat Doc's Clock heette. Ik bestelde een whisky zonder ijs, en de barkeeper schonk een vol sapglas in.

'Wow,' zei ik, vol verbazing over de hoeveelheid.

'Ze hebben een goeie hand van schenken hier,' zei Ev.

Toen om tien over half twee 's nachts de bel voor de laatste ronde ging, hadden we allemaal genoeg gehad. Ev, die flink kachel was, leunde achterover in zijn stoel. Hij strekte zijn armen wijd uit en zei: 'Biz, dit kan allemaal van jou zijn.' We hadden een tafeltje achterin, en ik zat met mijn rug tegen de muur. Vanuit mijn gunstige positie kon ik het hele café overzien, een spaarzaam verlichte, hipstervriendelijke kroeg, niet veel meer dan dat.

'Echt?' zei ik sarcastisch. 'Dit?'

Evan legde zijn hoofd op de tafel. We waren óp.

De volgende dag had ik ontmoetingen met twaalf verschillende Googlebazen. Het was me meteen duidelijk dat deze 'ontmoetingen' eigenlijk sollicitatiegesprekken waren. Het bleek dat de baan waarvan ik dacht dat ik hem al had, nog niet van mij was. Ik zat midden in het berucht ongenadige sollicitatieproces van Google.

Maar ik zweer je dat mijn vertrouwen dat die baan voor mij was, me erdoorheen heeft getrokken. Mijn Genius Labs-rol was niet de enige strategie die ik achter de hand had.

Vóór mijn telefoongesprek met Wayne Rosing had ik nog

nooit naar een echte baan gesolliciteerd. Ik had geen idee hoe een sollicitatiegesprek, via de telefoon of in levenden lijve, moest verlopen. Maar zoals gezegd, ik had wel één ding dat in mijn voordeel werkte: het reeds lang gevestigde zelfvertrouwen en de schaamteloze brutaliteit van het genie Biz Stone.

Maar toch, je kunt dat wel op een visitekaartje drukken of op een website typen, maar je kunt de bijbehorende houding niet zomaar uit de lucht plukken. Dus was er iets wat ik had gedaan voor het telefonische sollicitatiegesprek waarmee ik Genie Biz beter kon oproepen. Het ging als volgt. In de dagen voor dat telefoongesprek vormde ik het idee dat ik al bij Google in het Bloggerteam werkte en liet dat door mijn hoofd stuiteren. In die tijd mocht ik graag op mijn gemak vanuit mijn flat, praktisch op de campus van Wellesley, een eindje gaan joggen, richting Lake Waban over een onverharde weg van ruim drie kilometer. Terwijl ik hardliep, stelde ik me voor dat ik in een vreemd kantoor zat ergens in de buurt van San Francisco, met een stel mannen die ik nog nooit had gezien en die het werk deden dat ik ook graag wilde doen.

Google bestond bijna volledig uit gepromoveerden in de informatica. Die mensen waren erg goed in het maken van software. De rol die ik voor mezelf zag weggelegd, was Blogger menselijker te maken. Ik zou de homepage aanpakken – de officiële blog van het bedrijf – en het helpgebied maken tot iets wat 'Blogger Kennis' heette, en daar zou ik de nadruk leggen op de kenmerkende aspecten van Blogger. Ik zou Blogger een stem en eigen merknaam geven. (Hoewel ik dat toen nog niet wist, was dat precies wat ik in elk bedrijf waar ik ging werken zou gaan doen: de typische eigenschappen belichamen en communiceren van datgene wat we creëerden.)

Dit is een nuttige oefening bij elk probleem of idee. Visualiseer alles waarvan je wilt dat het in de volgende twee jaar voor je gebeurt. Wat is dat? *Ik wil mijn eigen ontwerpbureau. Ik wil een start-up opzetten. Ik wil een poezenfilmpje maken dat een hit wordt op YouTube* (het kan geen kwaad om hoog in te zetten). Laat dat idee in je hoofd sudderen terwijl je op je werk zit of een eindje wandelt. Kom niet met iets heel bijzonders. Het is niet je doel iets op te lossen. Als je je een idee vormt en dat gewoon in je achterhoofd houdt, begin je onbewust iets te doen waarmee je stappen zet in de richting van je doel. Het werkt wel min of meer. Voor mij in elk geval wel.

Nu zat ik in dat kantoor dat ik me had voorgesteld. Het was wel een beetje anders dan in mijn fantasie. Ik had zo'n beetje... tja, hoe zal ik het zeggen, een soort Googleplex verwacht misschien, maar in plaats daarvan stonden er een paar non-descripte gebouwen, met Blogger in gebouw π, maar in mijn hoofd werkte ik al minstens een week bij Blogger. Bovendien was het moeilijk om onder de indruk te raken van het geheel als niemand leek te begrijpen voor welke baan ze een sollicitatiegesprek met me voerden. Voor mijzelf en Evan klopte het allemaal wel, maar de afdeling personeelszaken van Google was door mijn functiebeschrijving een beetje in de war gebracht. Mijn uitleg dat ik wat menselijkheid zou gaan toevoegen aan het product leek alleen maar meer verwarring te zaaien. Het was bekend dat de Googlemedewerkers tijdens sollicitatiegesprekken kandidaat-programmeurs op een schoolbord moeilijke programmeerproblemen lieten oplossen, maar ze hadden geen idee wat ze mij moesten vragen. Iets over mijn hobby's? En dat Evan en ik tot een uur of drie, vier 's morgens op stap waren geweest, maakte de gesprekken er niet duidelijker op.

In het eerste gesprek zei een vrouw tegen me: 'Fijn dat je bent gekomen. Kan ik iets voor je halen?' Ik zei: 'Ja, heb je een aspirientje?' Ik weet vrij zeker dat het onmiddellijk naar voren brengen van je kater hoog op de lijst staat met dingen die een sollicitant niet moet doen.

Een van de mannen met wie ik een gesprek had, vroeg: 'Weet je waarom Google Blogger heeft overgenomen?' Hij was oprecht benieuwd. Destijds had Google al eerder Usenet Discussions van Deja.com gekocht, maar dit was de eerste echte overname van een bedrijf met medewerkers. Mijn antwoord was simpel, zij het niet noodzakelijkerwijs juist. Ik zei: 'Nou ja, het is de andere helft van Search. Google doorzoekt internetpagina's, Blogger maakt internetpagina's. Zo krijg je meer om te zoeken.'

Tegen de tijd dat ik het vijfde gesprek kreeg, vroeg ik aan iemand: 'Weet je waarom je dit gesprek met me hebt?' Hij zei: 'Nee. Ik ben hier eergisteren pas begonnen.' Ik weet behoorlijk zeker dat dat tamelijk hoog staat op de lijst van dingen die mensen die een sollicitatiegesprek áfnemen niet moeten doen. Misschien betekende het dat we goed bij elkaar pasten.

Hoe dan ook, al met al was de baan die nog niet van mij was geweest eindelijk van mij.

Met de niet geringe hulp van Evan had ik deze kans gefabriceerd zonder een afgemaakte studie (laat staan een hogere graad), zonder me ergens te hebben opgewerkt en met een mislukking of twee achter de kiezen op de koop toe. Ik was geen gedroomde kandidaat, ik was eigenlijk niets. Maar ik had wél ervaring op één bepaald gebied: het creëren van mijn eigen kansen.

Ik ontdekte al vroeg dat ik maar beter mijn eigen lotsbestemming kon maken. Als kind speelde ik heel veel alleen in de tuin, maar een van mijn favoriete bezigheden was naar de kelder gaan en 'dingen uitvinden'. Mijn grootvader maakte van 1925 tot 1965 telefoons voor American Telephone and Telegraph in Boston. Hij was al dood voordat ik was geboren, maar mijn moeder had de werkspullen van haar vader nooit weggedaan. In onze kelder stond zijn werkbank, lagen al zijn gereedschappen en was een reusachtige apothekersachtige verzameling keurig geordende veren, radertjes, draadmaterialen en wat dies meer zij – allerlei spullen die mijn opa had gebruikt om telefoons met een draaischijf te bouwen en repareren. Ik ging dan naar beneden en deed of ik wonderbaarlijke apparaten uitvond in mijn geheime, ondergrondse laboratorium.

Kathy, mijn moeders beste vriendin, was getrouwd met Bob en die was elektromonteur. Zijn kelder was voor mij ook een laboratorium. Het echte werk. Als we bij hen thuis kwamen, stapte ik meteen naar binnen en zei ik tegen Bob: 'Kom op, laten we wat gaan uitvinden in het lab. Ik heb wel een paar ideeën.' Ik weet nog heel goed dat ik de opzienbarende gedachte had dat ik met twee lege frisdrankflessen en wat stukken slang een apparaat in elkaar kon flansen waarmee ik onder water kon ademen.

Toen ik Bob erover vertelde, zei hij: 'Je bedoelt scuba?'

Ik zei dat we over de naam nog maar eens moesten nadenken en drong erop aan dat we aan de slag gingen. Tactvol zei hij dat we een luchtcompressor en nog wat andere dingetjes nodig hadden die hij niet in huis had en hij stelde voor dat we dan nu maar een lamp op batterijen moesten maken, gemonteerd op een omgekeerde koffiepot. Ik zou er niet onder water mee kunnen ademen, maar als het batterijen en draden had, was ik helemaal vóór. Een andere keer wilde ik een vliegapparaat uitvinden. Maar in plaats daarvan haakten we een luidspreker vast aan een batterij. We schoven platte stroken koper in een plastic mat en verbonden ze op zo'n manier aan de luidspreker dat die een vreselijk bromgeluid maakte als je op de mat stapte. Ik nam het ding mee naar huis en schoof het onder het kleedje voor mijn bed. Die avond kroop ik voorzichtig in bed en riep: 'Mama, je hebt me nog geen nachtzoen gegeven!'

'Ach, wat schattig!' zei ze. Ze kwam mijn kamertje binnen, stapte op het kleed, activeerde het alarm en kreeg zowat een hartaanval.

'Mijn uitvinding doet het!' kraaide ik.

Misschien wel om deze energie te kanaliseren meldde mijn moeder me aan bij de Boy Rangers. Niet de Boy Scouts, de padvinders, niet de Cub Scouts, de welpen, maar een of andere obscure club die Boy Rangers heette. Het was als de Betamax van de scoutingverenigingen. Niet alleen wilde ik niet bij de Boy Rangers zitten, maar ook moest ik elke week 'wampum' meebrengen: ik moest betalen. Daar kwam nog bij dat mijn ouders gescheiden waren toen ik nog een kleuter was en mijn vader in een andere plaats woonde, weliswaar niet ver van de onze, maar hij had net zo goed in Istanbul kunnen zitten. Mijn ouders waren als water en vuur, dus we zagen mijn vader zelden. Nu was de Boy Rangers toevallig iets voor vader en zoon. Elke week hadden alle andere jongens hun vader bij zich, en ik kwam in mijn eentje. Als er een medaille had bestaan voor 'iemand iets inwrijven', zouden ze die allemaal hebben gewonnen zonder hun best te hoeven doen.

Hoe dan ook, de Boy Rangers was opgezet naar het model van een indianenstam. Om vooruit te kunnen komen van Bleekgezicht via Indianenbaby, Dappere en Krijger naar uiteindelijk Hi-Pa-Nac (het klinkt als een middel tegen cholesterol, maar het is een soort opperhoofd) moesten we onze eigen verentooi maken, leren hoe we knopen moesten leggen en allerlei indianenstrijdkreten uit ons hoofd leren. Je weet wel: geinige kinderdingen. Ik zat aan de Boy Rangers vast van mijn zesde tot mijn tiende, nou net de kritieke jaren waarin de meeste jongens minihonkbal, kleintjesfootball en al die andere sporten deden. Ik was niet erg gemotiveerd om de Boy Rangers-vaardigheden onder de knie te krijgen, maar de leiding gaf de insignes toch wel aan alle jongens. De andere kinderen droegen hun insignes vastgenaaid op hun kaki shirt, maar mijn moeder maakte de mijne met veiligheidsspelden vast.

Als hardwerkende alleenstaande moeder was het belangrijkste wat mijn moeder voor mij, mijn zusje Mandy en mijn twee halfzusjes Sofia en Samantha deed, ons in Wellesley houden, waar zijzelf ook was opgegroeid. Het stadje was heel welvarend geworden en het systeem van lager onderwijs behoorde tot de beste van het land. Mijn moeder was zelf door het schoolsysteem van Wellesley heen gegaan en had het heerlijk gevonden. Ze was vastbesloten ons dezelfde goede ervaringen te bieden.

In mijn ogen waren al mijn vriendjes rijk. Het leek erop dat zij ervan uitgingen dat ik ook uit een welgesteld gezin kwam, maar we leefden regelmatig van de steun. Ik herinner me de reusachtige plakken van staatswege verstrekte kaas. Ik deed op school mee aan een lunchprogramma voor kinderen uit gezinnen met een laag inkomen, wat prettig was omdat ik geen lunchgeld hoefde mee te brengen, maar wat onprettig was vanwege de manier waarop het werkte. De meeste leerlingen kochten bonnen voor hun lunch. Die bonnen waren groen. Ik moest voor mijn lunchbonnen één keer per week naar een speciaal kantoor en kreeg dan vijf grijze bonnen. Als andere kinderen vroegen waarom mijn lunchbonnen grijs waren, maakte ik maar grappen over hun groene bonnen. Ik denk dat ik toen gevoel voor humor en een bepaalde houding ben gaan ontwikkelen om om te kunnen gaan met de klaarblijkelijke verschillen in onze levensstijlen. Ik plunderde zelfs de gevondenvoorwerpenkist op zoek naar een Ralph Lauren-poloshirt – weer eens iets anders dan steeds dezelfde spijkerbroek-T-shirtcombinatie die ik eigenlijk altijd aanhad. De meeste van mijn sokken en onderbroeken hadden een merkje met 'Afwijkend' erop: B-keus dus. Mijn moeder deed haar best en het lukte haar om ons in Wellesley te houden, in een onderwijssysteem dat toevallig openstond voor mijn speciale soort creativiteit.

Toen ik naar de middelbare school ging, waren al mijn vrienden nerds. Maar van tv en uit films wist ik dat het een goede manier was om mijn sociale netwerk uit te breiden als ik in een sportteam zou zitten. Ik was van nature atletisch en door al die jaren bij de Boy Rangers was ik echt goed geworden in het knopen van halve en trompetsteken, maar ik had nog nooit aan een teamsport gedaan. Op het basketbalveld stonden al die rare lijnen op de grond. Alle andere kinderen leken te weten waar je mocht staan en hoelang. Ik stond daar maar gewoon. En bij de American Football-try-outs had je al die regels. Hoe werkte dat? Hoeveel kansen kregen we? En hoe moest ik nou weten wanneer ik aan de verkeerde kant van het veld stond? Ik was in de war en daar werd ik zenuwachtig van – en daardoor raakte ik nog meer in de war. Vóór ik naar de honkbal-try-outs ging, had ik wat research gepleegd en het spel een beetje doorgekregen. Maar ik kon onmogelijk al die verloren tijd inhalen. In deze situatie zou de visualiseringstechniek waarmee ik de baan bij Blogger in de wacht had gesleept, niet hebben gewerkt. Zelfs als ik destijds enig besef had gehad van die strategie, zou ik nog hebben gevisualiseerd hoe ik duizend homeruns maakte om vervolgens te mogen toekijken hoe de andere jongens ze scoorden. Het zal geen verrassing zijn: ik kon bij geen van de sportteams terecht. En toen besloot ik mijn leven in mijn eigen hand te nemen.

Een klein onderzoekje leerde me dat er één sport was die mijn middelbare school destijds niet aanbood: lacrosse. Als niemand van de andere jongens enige ervaring met lacrosse had, dan zou iedereen zich net zo verward voelen als ik en zouden we quitte staan. Dus vroeg ik aan de schoolleiding of we met een lacrosseteam mochten beginnen als ik een trainer vond en genoeg jongens enthousiast kreeg. Dat mocht. Dus dat deed ik. Na al die schijnbare onhandigheid bleek ik een behoorlijke lacrossespeler te zijn, werd ik gekozen tot aanvoerder en waren we best een goed team (hoewel ik nog steeds liever tussen de nerds zat dan tussen de sporters).

Van mijn beslissing om een nieuw sportteam op te zetten leerde ik een belangrijke les: kansen kun je creëren.

In mijn woordenboek wordt 'kans' gedefinieerd als een verzameling omstandigheden die het mogelijk maakt om iets te doen. We zijn door de wereld om ons heen geconditioneerd om een kans af te wachten, snugger genoeg te zijn om die kans te herkennen, en te hopen dat we op het juiste moment kunnen toeslaan. Maar als een kans slechts een verzameling omstandigheden is, waarom zitten we dan te wachten totdat de sterren in de juiste constellatie staan? In plaats van af te wachten en er dan pas bovenop te duiken met een grote kans op mislukking, zou je er net zo goed op af kunnen gaan en in je eentje die verzameling omstandigheden te creëren. Als je de kans máákt, ben je de eerste die er gebruik van kan maken.

Pas later besefte ik dat dat de kern is van ondernemerschap, namelijk degene zijn die ervoor zorgt dat er iets voor jezelf gebeurt. Maar het geldt ook voor alle andere vormen van succes, in alle onderdelen van het leven. Men zegt wel dat succes een combinatie is van hard werken en geluk hebben, en in dat sommetje is geluk het stukje dat je niet in de hand hebt. Maar als je kansen voor jezelf creëert, gaat je slagingskans in de loterij enorm omhoog.

Op de middelbare school had ik geleerd hoeveel voldoening het geeft om je eigen kansen te vormen, en ik ging ervan uit dat ik hetzelfde zou kunnen doen als ik ging studeren. Ik deed eindexamen in 1992 en wist een paar plaatselijke studiebeurzen te bemachtigen om mijn eerste jaar aan Northeastern University te kunnen bekostigen. In de wetenschap dat het beurzengeld gauw op zou zijn, haalde ik een beurs in de letteren binnen op grond van uitstekende prestaties, waardoor ik verder kosteloos naar de University of Massachusetts in Boston kon.

Maar studeren bleek niet helemaal te zijn wat ik me ervan had voorgesteld. Elke dag pendelde ik een uur heen en weer tussen mijn moeders huis en de UMass-campus, een doolhof van beton die volgens de geruchten was ontworpen door architecten die gespecialiseerd waren in gevangenissen. Een van de eerste dingen die ik daar wilde doen, was het produceren van *The White Rose*, een toneelstuk dat was gebaseerd op een vroege antinazibeweging in Duitsland. Maar de vrouw die de theaterafdeling leidde, zei dat ik alleen maar haar colleges mocht volgen en mocht meedoen met de stukken die zij had uitgezocht. Hmm. Dat was niet wat ik in gedachten had.

Naast mijn studie kreeg ik een baantje dat inhield dat ik in een oud herenhuis in Beacon Hill zware dozen moest sjouwen voor de uitgeverij Little, Brown & Company. Ik droeg dozen met boeken van de zolder van het huis naar de lobby beneden.

Het was midden jaren negentig en op de ontwerpafdeling van de uitgeverij ging men van lijmspray over op Photoshop. Ze hadden zelfs nog een oude Photostat-machine met bijbehorende kleine donkere kamer, een kolossale, dure machine die hetzelfde werk deed als een scanner van 99 dollar. Ik was wel handig met een Mac, en boekomslagen ontwerpen leek me leuk. Op een dag, toen de hele studio was gaan lunchen, snuffelde ik een beetje rond tot ik een opdrachtformulier vond voor een boek met een lijstje van de titel, ondertitel, auteur en een korte samenvatting van wat de redactie ongeveer voor omslag wilde. Het boek was *Midnight Riders: The Story of the Allman Brothers Band* van Scott Freeman. Ik ging aan een van de bureaus zitten en maakte een omslag voor het boek. Op een donkere ondergrond zette ik 'Midnight Riders' in een grote, groene letter. Daarna zocht ik een foto van de band, ook heel donker, die er onder de titel mooi uitzag. Toen ik klaar was, drukte ik het af, voorzag het van een passe-partout en deed het met de andere omslagontwerpen in een envelop die ter goedkeuring naar de afdelingen verkoop en redactie op het kantoor in New York werd gestuurd. Daarna ging ik weer dozen sjouwen.

Twee dagen later, toen de artdirector terugkwam van het presenteren van de ontwerpen in New York, vroeg hij: 'Wie heeft dit omslag ontworpen?' Ik zei dat ik dat was. Hij zei: 'Jij? De dozenjongen?' Ik legde uit dat ik wel iets af wist van computers en dat ik met een beurs aan de letterenfaculteit studeerde. Hij bood me ter plekke een volledige baan als ontwerper aan. Op het kantoor in New York hadden ze mijn ontwerp uitgekozen voor het boek. Nu ik erop terugkijk, was het niet zo goed, maar ze hadden het wél gekozen.

Ik had nota bene een volledige baan aangeboden gekregen. Moest ik die aannemen? Studeren was voor mij tot nog toe een teleurstelling gebleken. (Mijn ervaring aan de universiteit doet me denken aan een Nederlandse uitdrukking die ik eens op bezoek bij een ondernemer in Amsterdam hoorde: 'Als je je kop boven het maaiveld uitsteekt, wordt die eraf gehakt.') En daar stond ik, met een kans om direct samen te werken met de artdirector, die later een uitstekende leermeester zou blijken te zijn. Zo zag ik het: mensen gaan studeren om gekwalificeerd te zijn voor een baan zoals die mij nu werd aangeboden. In wezen sloeg ik drie klassen over. Bovendien zou ik hier meer leren terwijl ik deed wat ik wilde doen dan als ik anoniem door mijn studie dobberde. Dus ik brak de studie af om te gaan werken bij Little, Brown, en dat was een van de beste beslissingen in mijn leven.

Je hoort mij niet zeggen dat studenten beter met hun studie kunnen stoppen. Ik had zeer zeker met wat meer motivatie aan mijn studie kunnen beginnen, of ik had kunnen proberen iets aan mijn situatie te veranderen toen ik er eenmaal was. Maar een baan aannemen die ik dankzij mijn eigen initiatief had gekregen was een andere manier om mijn lotsbestemming zelf in de hand te nemen. Het was een voorbeeld van het creëren van mijn eigen kansen – zo zie ik dat.

Daarom geeft het opzetten van een lacrosseteam, het produceren van een toneelstuk, het starten van een eigen bedrijf of actief aan de uitbouw werken van het bedrijf waar je zit, allemaal creatief meer voldoening en is het potentieel lucratiever dan gewoonweg doen wat er van je wordt verwacht. In jezelf geloven, in het genie in jezelf, betekent dat je vertrouwen hebt in je ideeën voordat die er zelfs nog maar zíjn. Om een visie te kunnen hebben voor een bedrijf of voor je eigen potentieel, moet je eerst ruimte vrijmaken voor die visie. *Ik wil in een sportteam spelen. Ik heb het niet goed genoeg gedaan in het team. Hoe kan ik die feiten met elkaar verzoenen? Ik vind mijn werk niet leuk, maar ik ben gek op dit piepkleine stukje ervan. Dus hoe kan ik dat dan doen in plaats van de rest?* Echte kansen in de wereld staan niet in vacatureoverzichten en ze zitten niet ineens in je mailbox met in de onderwerpregel: GEWELDIGE KANS KAN VOOR JOU ZIJN. Je droom uitvinden is de eerste en grootste stap op weg om het allemaal te laten uitkomen. Zodra je deze eenvoudige waarheid doorhebt, opent zich een heel nieuwe wereld vol mogelijkheden voor je.

Die modus operandi is wat mij in 2003 bij Google bracht.

Ik kwam terecht bij Google, maar de Biz in het echte leven was nog steeds bezig zijn problemen op te lossen. Genius Labs was een mislukking geweest, Livia en ik hadden nog steeds tienduizenden dollars aan creditcardschuld, mijn auto zou de rit naar de andere kant van het land niet halen, en ik was op weg naar een kans die ik had gefabriceerd uit niets anders dan een unieke mix van zelfvertrouwen en wanhoop.

Ik wilde een grotere auto, een Toyota Matrix, voor de verhuizing naar Californië en dus ging ik naar een garage om onze oude Corolla in te ruilen. Ik zei tegen de autodealer: 'Ik heb deze Corolla, maar ik heb geen geld. Kan ik je nu de auto geven en een betalingsregeling krijgen voor de rest?'

Hij zei: 'Voor vijfduizend dollar cash...'

Ik onderbrak hem. 'Ik heb echt geen geld. Ik heb geen geld. Niets. Noppes.'

Hij zei: 'Voor tweeduizend dollar cash...'

Ik onderbrak hem weer beleefd: 'Als ik geld had, zou ik het aan je geven, maar ik heb het niet. Ik heb geen geld, geen toegang tot geld en op mijn creditcards sta ik maximaal rood.'

Dus nam hij mijn Corolla en gaf me een financieringsregeling waarvan zelfs hij toegaf dat-ie vreselijk was. Tijd voor maar weer eens een visualisering.

Ik dacht: En deze is voor mijn toekomstige ik, die dit allemaal zal gaan betalen.

2

ELKE DAG IS WEER EEN NIEUWE DAG

Hernieuwbare energiebronnen zijn precies wat de naam al zegt: natuurlijk aangevulde hulpbronnen. Ze zijn onuitputtelijk. Voel je je alleen al bij de gedachte aan hernieuwbare energiebronnen niet beter dan als je denkt aan de uitgeput rakende reserves van de aarde? Het idee van aanvulling is een enorme opluchting. *Er is daar waar het vandaan komt nog meer. We komen niet zonder te zitten. Het leven dat we proberen te leiden is duurzaam.* Dit is een belangrijk concept bij het nadenken over de hulpbronnen van de wereld, maar het is ook toepasbaar op ons werk en ons leven, en het ging meespelen in mijn uiteindelijke beslissing om bij Google weg te gaan.

Ik heb twee jaar bij Google aan Blogger gewerkt, en tot aan de eerste beursgang zaten Livia en ik nog diep in de schulden. Onze situatie was minder dan ideaal, eigenlijk nog minder dan middelmatig. Voordat we naar San Francisco zouden verhuizen, hadden we Evan en Jason gevraagd waar we het beste konden gaan wonen. De meest voor de hand liggende keuze was in het oude centrum van Mountain View, vlak bij het kantoor van Google. Maar Jason en Evan vonden zichzelf San Francisco-snobs en zeiden: 'Je móét in de Mission wonen, man. Daar gebeurt het allemaal.'

Wij wisten wel dat de Mission te heftig voor ons was. Het was in die periode dat de wijk net inzat tussen armoedig en helemaal hot, de tijd dat de hipsters ernaartoe verhuisden, maar er 's nachts nog steeds werd geschoten – misschien wel op die hipsters. Voor mensen als Ev, die was opgegroeid in Nebraska en daar over de grote stad had gefantaseerd, was het geweldig om een stadsmuis te zijn. Maar Livy was in de jaren zeventig opgegroeid in New York. Ze had het wonen in de grote stad wel gezien; zij wilde een veldmuis zijn. Als we zouden verhuizen naar alweer een grote stad en een overgangswijk zouden kiezen met slepende bendevetes, zou dat voor haar te veel worden. Toen lazen we over een echt leuke buurt die grensde aan de Mission: Potrero Hill. Op de foto's die we op internet vonden, zagen we een leuk straatje met een ouderwetse deli, een familiebedrijf-kruideniertje, een boekwinkel op de hoek en waarschijnlijk een spaar- en leenbank gerund door George Bailey uit *It's a Wonderful Life*... zo zag het er uit.

Nog steeds op internet vond ik in Potrero Hill een loft van honderdveertig vierkante meter voor dertienhonderd dollar per maand. Grote God! Ik had altijd al in een loft willen wonen! En het nummer was 1A. We zouden dus op de begane grond wonen – geen trappen meer omhoog naar de zolder. We zouden onze deur uit lopen en meteen midden in dat leuke Potrero Hill staan.

Duimend belde ik de verhuurder. De loft was nog te huur! Ik besloot hem onmiddellijk te nemen. We waren ongelofelijk blij met de gedachte dat we naar het westen zouden rijden en met onze betaalbare, coole loft die daar op ons lag te wachten.

Waar we niet aan hadden gedacht was het 'heuvel'-aspect van Potrero Hill. Het lage stuk van Potrero Hill ligt aan de voet van de noordhelling. Onze nieuwe flat, ontdekten we toen we aankwamen, lag tegen de zuidhelling. De enige manier om van de ene kant naar de andere te komen, was via een heuvel die steiler was dan een skihelling. Ik ben een groot voorstander van fitnessen, maar ik voelde er niet zoveel voor om die heuvel te moeten overwinnen elke keer dat ik een veel te duur cakeje wilde kopen, dat ik me trouwens toch niet kon veroorloven.

Wat het coole loftgebouw zelf betrof waar we ons op hadden verheugd: dat lag ingeklemd tussen twee woningbouwprojecten, met uitzicht op de highway en een verwerkingsfabriek waarvan ik behoorlijk zeker was dat ze er lijm uit zeemeeuwen maakten of iets vergelijkbaars. Onze panoramische vensters keken uit over een industriële woestenij.

Verder waren het typische woon-werklofts, en de figuur naast ons zat in een band. Drie keer raden welk instrument hij bespeelde. Zei je drums? Heel goed! Hij speelde de hele nacht harde, rare muziek, en als huisgenoot had hij een blaffende pitbull.

Maar de grootste vergissing die we hadden begaan was dat we hadden aangenomen dat onze flat, 1A, op de begane grond zou zijn. Het pand was gebouwd in de rotswand van de heuvel, dus de nummers waren eigenlijk andersom: je kwam binnen op de negende verdieping en daarvandaan werden de nummers steeds lager. We hadden een wandeling naar beneden gehuurd van negen verdiepingen. Elke dag begon voor ons met het opklauteren van negen dubbele metalen trappen.

Ik forensde elke morgen naar mijn nieuwe baan in Mountain View, een aardige stad met winkels en koffietentjes en elke week een boerenmarkt. Het zou perfect voor ons zijn geweest. De huur zou er ook lager zijn geweest en ik had op de fiets naar mijn werk gekund. Maar enfin, dat hadden we niet gedaan.

Anderhalf jaar lang hadden Livia en ik helemaal geen meubels. Onze creditcardschuld was een diep zwart gat dat ons hele inkomen opslokte. En toen Google met kerst duizend dollar contant aan elke medewerker uitkeerde, stopte ik die dag onderweg naar huis om roekeloos het grootste deel van de bonus uit te geven aan een televisietoestel. We zetten de tv op de vloer en gebruikten de doos als eettafel. Verder leefden we van dag tot dag. We hadden alleen onze katten meegebracht en wat er nog meer in onze Toyota Matrix paste. Er was geen ruimte in de auto of geld over geweest voor luxeartikelen zoals een bed. We sliepen boven op de slaapkamervloer. Er lag in ieder geval vloerbedekking.

Bij Google gingen een paar collega's, toen bekend was geworden dat ik op de vloer sliep, met de pet rond en haalden achthonderd dollar op voor een bed voor ons. Dat was een geweldig sympathiek gebaar, en ik was geroerd en dankbaar. Ik kon echter niet anders dan het bedrag in zijn geheel investeren in de afgrijselijke afbetalingen van mijn auto, waarmee ik ook alweer een paar maanden achterliep. Wat ons verdere meubilair betreft: ik nam twee kakelbonte, veelkleurige Google-zitzakken mee naar huis. Meer dan een jaar zaten we op die zitzakken en sliepen we op de vloerbedekking, totdat ik eindelijk wat geld van Google kreeg.

In september 2003 begon ik bij Blogger. Op 19 augustus 2004 beleefde Google eindelijk zijn langverwachte beursgang. De opties die ik had gekregen als onderdeel van mijn arbeidsovereenkomst hadden een uitoefeningstermijn van vier jaar. Ik had het recht om de opties in die periode te verzilveren voor tien dollarcent per aandeel. Tegen de tijd dat Google naar de beurs ging, zat er een jaar op, en de waarde per aandeel was snel gestegen tot meer dan honderd dollar. Aan het eind van het volgende jaar was de waarde bijna verdrievoudigd. Elke maand mocht ik meer van mijn stockopties uitoefenen. Ik pakte dan de telefoon en zei tegen de man aan de andere kant: 'Verkopen, alsjeblieft.' Daarna legde ik de telefoon neer en zei: 'Livia, ik heb net tienduizend dollar verdiend.' Beetje bij beetje werkten we onze creditcardschuld weg.

Maar er ontbrak iets. Iets waar ik zeer op gesteld was geraakt in mijn eerste baan, de baan waarvoor ik met mijn studie was gestopt, het werken voor de artdirector bij Little, Brown.

Op mijn eerste officiële werkdag als ontwerper bij Little, Brown kwam ik het kantoor van de artdirector binnen. Hij wenkte me zonder iets te zeggen naar zijn bureau. Zonder te spreken of zich om te draaien reikte hij met zijn linkerhand over zijn rechterschouder naar de boekenplank en plukte daar een boek vandaan. Als een Jedi Master wendde hij zijn blik geen moment van me af. Het boek dat hij had gepakt, was een stalenboek met de Pantonekleuren. Het moet het juiste boek zijn geweest, want hij begon erin te kijken. Ik stond stilletjes naast zijn bureau en keek hoe hij langzaam door de vele pagina's met kleuren bladerde. Ten slotte stopte hij bij de lichtbruine en de geelbruine tinten. Hij had gevonden wat hij zocht en hij scheurde een van de kleine geperforeerde staaltjes uit het boek. Hij legde het op zijn bureau, legde er één vinger op en schoof het chocoladekleurige staaltje langzaam in mijn richting. En toen verklaarde hij op droge toon: 'Zo wil ik mijn koffie.'

O, nee hè? Dáárvoor met mijn studie gestopt? Had ik een fantastische gratis beurs opgegeven? En nu moest ik naar Dunkin' Donuts en de mevrouw vragen of ze de koffie zo...

In drie seconden schoten al die gedachten door mijn hoofd. Terwijl ik stond te piekeren hoe ik die kleur bij de plaatselijke koffietent in de koffie kon krijgen met precies de juiste hoeveelheid melk, barstte de artdirector uit in een bulderende lach.

'Ik maak maar een geintje! Wat voor lul denk je wel dat ik ben?' En zo begon mijn leertijd in grafisch ontwerp en mijn introductie in een nieuwe manier van denken. Steve Snider, de artdirector, en ik werkten meer dan twee jaar innig samen.

Van het ontwerpen van boekomslagen leer je dat je elk project op een oneindig aantal manieren kunt aanpakken. Er spelen verschillende aspecten bij omslagontwerpen. Een omslag moet ons, de ontwerpers, op artistiek gebied voldoening geven. Het moet ook de auteur en de redactie plezieren door recht te doen aan de inhoud. Het moet aantrekkelijk zijn voor marketing en verkoop in zoverre dat het de aandacht trekt en het boek positioneert en promoot. Soms raakten ontwerpers gefrustreerd wanneer hun werk werd afgewezen door een afdeling. 'Idioten, sufferds,' foeterden ze dan, terwijl ze door het kantoor stampten. 'Dit is een briljant ontwerp.' En misschien was het dat ook wel. Maar onze collega's bij de verkoop en de redactie waren ervaren in hún werk, en ik leerde van Steve om ervan uit te gaan dat hun overwegingen gerechtvaardigd waren.

Steve vertelde mij een keer dat hij ooit voor een biografie van Ralph Lauren een briljant idee had gehad. Hij wilde zes verschillende omslagen nemen, elk omslag in een effen, ballerige kleur met het polo-logo in een contrasterende kleur in de linkerbovenhoek. Dat zou het zijn. Een foto van Ralph Lauren misschien nog achterop. Het zou iconisch zijn. Maar de redactie keurde het af. En dat was dan dat. Steve was nog steeds trots op het idee, maar hij begreep dat hij niet het laatste woord had.

Voor een boek van Thomas Hine, *The Total Package*, waarin de verpakkingswereld onder de loep wordt genomen, nam ik een kartonnen doosje van puddingpoeder. Ik maakte het open, haalde de naden uit elkaar en maakte er een plat vlak van. Ik maakte een omslag dat een precieze imitatie van het ontlede doosje was, met de rasterlijnen en dat kleine regenboogje om de inktkleuren te controleren. Ik was echt trots op het eindresultaat. Maar ze kozen een smaakvol zwart-wit omslag met verpakte producten erop. Mijn omslag werd weliswaar niet gebruikt, maar het werk was toch niet voor niets geweest. Ik deed het in mijn portfolio, want ik vond het nog steeds heel geslaagd.

Van Steve leerde ik dat het geen probleem is als je ontwerp wordt afgewezen. Dat het juist een kans is. Mijn werk bestond er niet alleen uit kunststukjes te ontwerpen die ikzelf goed vond; de uitdaging was juist om met een ontwerp te komen dat ikzelf goed vond én waarvan verkoop en redactie vonden dat het perfect was. Dat was het ware doel. 'Je doelen moeten groter zijn dan je ego,' zei Steve altijd. Als ik alle afdelingen tevreden wist te stellen, dan pas zou ik er echt in zijn geslaagd om een goed omslag te maken.

Als Steve en ik vastzaten, probeerden we zelf weer inspiratie te vinden. We pakten dan een voorgesneden passe-partout en hielden die voor allerlei verschillende dingen in ons kantoor. Zou de houtnerf van een dressoir een goede achtergrond zijn? Of de blauwe lucht buiten? (Steve Snider zou later een blauwe lucht met witte wolken als achtergrond gebruiken voor David Foster Wallace' *Infinite Jest*.)

Soms kregen we beperkingen opgelegd. We kregen dan bijvoorbeeld te horen: 'Voor dit boek moet je deze foto gebruiken. Die is genomen door de zus van de uitgever. Daar valt niet over te onderhandelen.' En de kwaliteit was dan belabberd. Dan zei ik: 'Geweldig, geef maar hier.' En dan draaide ik de foto een slag en vergrootte ik hem achthonderd keer. Dan was-ie te gek. Je kwam er altijd wel uit. Mijn creativiteit bleef niet beperkt tot vijf ontwerpen per boek, of welk aantal dan ook. Het omslag kon altijd op nog een andere manier. Ik leerde algauw me niets aan te trekken van al dat werk dat werd weggegooid. Ik nam een afwijzing niet persoonlijk op. Mijn creativiteit was onbeperkt. Ik wilde met nóg een idee komen. *Ik heb er wel een miljoen*, dacht ik dan. *Ik zou hier de hele dag mee door kunnen gaan!* Het was een kwestie van instelling.

Grafisch ontwerpen is een uitstekende voorbereiding op elk ander vak, want je leert ervan dat er voor elk probleem oneindig veel mogelijke oplossingen zijn. Al te vaak durven we niet af te wijken van ons eerste idee of van wat we al weten. Maar de oplossing is niet noodzakelijkerwijs wat vlak voor je neus ligt of wat in het verleden goed heeft gewerkt. Als we ons bijvoorbeeld aan fossiele brandstoffen vastklampen als de beste en enige energiebron, zijn we verloren. Mijn kennismaking met vormgeving vormde voor mij een uitdaging om die dag een nieuwe benadering toe te passen – en elke dag daarna opnieuw.

Creativiteit is een hernieuwbare hulpbron. Daag jezelf elke dag uit. Wees net zo creatief als je wilt, net zo vaak als je wilt, want die bron droogt nooit op. Ervaring en nieuwsgierigheid drijven ons tot het maken van onverwachte, onconventionele verbindingen. En die niet-lineaire stappen leiden ons vaak tot het beste werk.

Steve werd mijn mentor. Ik reed elke morgen met hem mee naar het werk, en we werden vrienden, tennisten in het weekend samen. Hij was meer dan dertig jaar ouder dan ik, maar we pasten goed bij elkaar: ik had geen vader toen ik opgroeide; hij had twee dochters en hij had altijd een zoon willen hebben. Uiteindelijk begon hij me mee te nemen als hij in het kantoor in New York omslagen ging laten zien. Onderweg stelde ik hem dan duizenden vragen, niet alleen over vormgeving, maar ook over het leven. *Hoe wist je wanneer je je vrouw een huwelijksaanzoek moest doen? Hoeveel salaris vroeg je bij je eerste baan?* Vragen stellen kost niets. Gewoon doen!

Met Steves steuntje in de rug en zijn vertrouwen in mij ging ik weg bij Little, Brown om mijn eigen freelancebureau voor boekvormgeving te beginnen. Het was aan het eind van de jaren negentig, en dus zou ik onvermijdelijk al snel mijn diensten uitbreiden met het ontwerpen van websites. Elk nieuw bedrijf deed toen aan websiteontwerp. Ik had een stomerij kunnen beginnen en op het uithangbord zou hebben gestaan: REPARATIE EN VERMAKEN/WEBSITEONTWERP. Toen mijn vrienden afstudeerden en besloten een internetbedrijf te beginnen, was ik al bezig met websites ontwerpen en bouwen. We begonnen samen aan Xanga. Door met Steve te leren vormgeven ben ik op het pad gekomen dat me heeft geleid naar waar ik nu sta.

Het idee dat creativiteit oneindig is, heeft mijn dagelijkse energie aangewakkerd, maar dat idee kwam vooral naar voren in 2005, toen ik nog bij Google aan Blogger werkte en eindelijk was opgeklauterd uit de schulden die mijn hele volwassen leven hadden geteisterd.

Ik deed eindeloos veel inspiratie op bij de mensen bij Google. Je had Simon Quellen Field, een oudere man (zoals hij zelf zei) die ik op mijn allereerste dag had ontmoet toen ik daar werd rondgeleid. Ik vroeg hem wat hij bij Google zou gaan doen, en hij zei: 'Weet ik niet. Iets waar je voor gepromoveerd moet zijn.' Simon had een lange grijze baard, een lange grijze paardenstaart en een echte papegaai op zijn schouder. Hij beweerde dat hij de eigenaar van een berg in Los Altos was, daarbovenop woonde en een enorme volière en papegaaienfokkerij had.

Tijdens de lunch stond een kerel die Woldemar heette (ook bekend onder de naam 'Hij Die Soms Wordt Verward Met Hij-Die-Niet-Genoemd-Mag-Worden') altijd een beetje voor zichzelf te jongleren. Ik stapte dan op hem af om een beetje met hem te kletsen: 'Is het geen raar gevoel om hier een beetje te staan jongleren?'

'Nee hoor.'

'Ik zou zenuwachtig worden en me generen.'

'Nou, ik niet.'

'Oké, ik zie je wel weer eens, Woldemar.'

Misha was gedrongen, met een dikke buik, een baard en een vet Russisch accent. Hij kwam mij op het spoor toen ik een artikel op het intranet van Google had gezet. (In het stuk had ik het erover dat mensen je gaan googelen als je ergens solliciteert of met iemand wilt daten, of je dat nou leuk vindt of niet. Je kunt daar dus maar beter zelf iets mee doen. Ik stelde voor dat Google mensen de mogelijkheid zou bieden de zoekresultaten op hun naam om te zetten naar een profielpagina op een sociaal netwerk, waar ze aangepast en uitgebreid zouden kunnen worden. Ik noemde het Google Persona. Ik vind het nog steeds best een goed idee, maar het ligt op de plank, naast Steves omslagen voor het Ralph Lauren-boek.) Hoe dan ook, Misha had mijn stuk gelezen en was geïnteresseerd geraakt in me. Hij spoorde me op en zei: 'Biz, kom. Wij wandelen.'

Moest ik gaan wandelen met die Rus? Waarom ook niet?

Dus vanaf dat moment maakten Misha en ik vaak een wandelingetje. We kuierden langs de papegaaienman en de jongleerman, en hij zei dan dingen als: 'Biz, ik uitvinden nieuwe manier om tijd weergeven.' Het kwam door mensen als Misha dat Google het goed deed.

Ondanks de zeer welkome financiële stabiliteit van de baan en de eindeloos fascinerende types, ontbrak er iets aan mijn werk voor Blogger: ik kreeg niet de kans om mezelf elke dag uit te dagen.

—

Een van de manieren waarop ik probeerde te voldoen aan de behoefte om mezelf uit te dagen, was regelmatig met Evan brainstormen over wat we zouden kunnen doen als we bij Google weg zouden gaan. Op een middag in 2005 reden hij en ik samen naar huis, van Google in Mountain View naar San Francisco. Ev bestuurde zijn gele Subaru Wagon, en ik zat naast hem.

'Weet je hoe je in je webbrowser met Flash je stem kunt opnemen als je een ingebouwd microfoontje hebt?' vroeg ik.

'Ja,' zei Ev.

'Nou, we zouden iets kunnen maken waarmee je alles kunt opnemen wat je wilt. En dan zouden we dat kunnen omzetten naar mp3 op onze servers.'

'Ja, kan.'

'Oké,' zei ik. 'Ik denk dat het een geniaal idee is.'

'Dat beoordeel *ík* wel.' Evan wil naar elk idee van me luisteren, maar hij is niet iemand die gauw overenthousiast raakt. Hij is bedachtzaam, analytisch.

We reden op Highway 101 door het drukke verkeer in noordelijke richting, ter hoogte van San Mateo. Ik haalde eens diep adem en ging verder.

'Het lijkt erop dat de iPod superpopulair wordt. We zouden het voor gewone mensen heel erg makkelijk kunnen maken om opnames te maken – praten, zingen, gesprekken, wat ze maar willen – door tegen een webpagina te praten. Stel dat heel veel mensen dat doen, en wij zetten al hun opnamen om naar bestanden, mp3's.'

'Ga door,' zei Evan.

'We verzamelen al die opnamen op één plaats en maken ze beschikbaar. En dan kunnen andere mensen zich abonneren op wie ze maar interessant vinden.' Ik legde uit hoe het technisch zou kunnen werken en hoe de opnamen synchroon konden blijven tussen hun computer en hun iPod.

Eindelijk werden Evs ogen groot en zakte zijn mond open. Zijn 'Jezus christus, dat is een goed idee'-gezicht.

'Je snapt wat ik bedoel. We zouden dan zeg maar een service kunnen maken die geluid toegankelijk maakt op dezelfde manier als Blogger het maken van webpagina's toegankelijk maakt. Iedereen kan dan eigenlijk zijn eigen radioprogramma maken. Andere mensen kunnen dat programma heel eenvoudig op hun iPod zetten zodat ze wanneer ze maar willen naar al dat materiaal kunnen luisteren. Het zou écht wat kunnen worden.'

Je moet weten dat ik enthousiast ben als ik zeg: 'Het zou écht wat kunnen worden.'

'Daar zou je weleens iets kunnen hebben.' Evan is niet zo gauw vol mee te krijgen, maar daar had ik hem dan toch.

'Ik zei toch dat het een geniaal idee was?'

—

Zodra we weer in de stad waren en dit idee begonnen uit te werken, ontdekten we dat ik niet helemaal zo geniaal was als ik had gedacht: er waren al andere mensen die het ook hadden bedacht en ze noemden het *podcasting*. Toch lag er volgens ons een behoorlijke markt open voor een mainstream podcastdienst via internet voor de gewone consument.

Evan raadpleegde zijn vriend Noah Glass, die op dat gebied werkzaam was: het in de browser opnemen van stemgeluid met Flash. Noah had zijn service Audioblogger genoemd, omdat het de opnames van mensen naar een blog postte. Maar hij had nog niet iets in elkaar gedraaid waarmee je je gemakkelijk op die opnamen kon inschrijven zodat je ze op je iPod kreeg.

Op een avond belde Ev terwijl Livia en ik in onze 'loft' in Potrero Hill aan het koken waren.

Hij zei: 'Noah en ik zitten te praten over dat idee van jou laatst in de auto. Kom ook hiernaartoe.'

Ik wierp een blik op de broccoli, aardappelen en vegetarische hachee die op het vuur stonden te sudderen. Ik had trek. Het zag er lekker uit. 'Mwah,' zei ik. 'Gaan jullie maar door zonder mij.' Dit zijn de momenten die in Silicon Valley het verschil maken tussen een fortuin verdienen en een fortuin mislopen. Stomme broccoli.

Omdat Google Blogger had overgenomen, had Evan zijn fortuin al gemaakt en kon hij doen wat hij maar wilde. (Ja, hij kocht na de beursgang van Google een zilveren Porsche. Je kunt het een jongetje uit Nebraska niet kwalijk nemen dat hij zo'n speeltje koopt als hij multimiljonair wordt.) Onmiddellijk daarna ging hij weg bij Google, vormde hij een samenwerkingsverband met Noah en lanceerde hij een podcastbedrijf dat Odeo heette.

Kort na dat eerste telefoontje vertelde Ev me dat hij vijf miljoen dollar bij elkaar had gekregen om Odeo met Noah op te zetten. Het was allemaal heel snel gegaan, en ineens had ik het gevoel dat ik de boot had gemist. Ze waren het bedrijf begonnen zonder mij. Tuurlijk, Google was een geweldig bedrijf om bij te werken. Het bedrijf had het helemaal. Ik had geen baas. Ik verdiende maximale bonussen. Ik hoefde niet naar mijn werk te gaan als ik geen zin had. Ik had nog twee jaar over voor mijn opties. Ik kon het rustig aan doen bij Google en miljoenen dollars verdienen. Of ik kon ontslag nemen om te gaan werken bij een start-up die misschien geen succes zou zijn (ik verklap het vast: het werd geen succes). Maar ik wilde nog steeds elke dag uitgedaagd worden.

Denk aan hoe het bij jou op je werk is. Ga jij met je creativiteit om alsof het een fossiele brandstof is, een beperkte hulpbron waar je zuinig mee moet zijn, of heb je de nooit oprakende energie van de zon exploitabel gemaakt? Zit je in een omgeving waarin creativiteit gedijt? Is er elke dag ruimte voor nieuwe ideeën? Kun je die ruimte maken?

Ik was helemaal naar Californië verhuisd om bij Evan Williams te werken, niet bij Google. Dat was belangrijker voor me dan opties en een vaste baan. Ik kon niet gewoon zitten wachten tot ik mijn opties kon verzilveren als ik ook de kans had om met Evan mee te doen in een start-up. Natuurlijk, ik bracht de menselijke kant in bij Blogger, maar die website was al prima op weg. Als je een stabiele, comfortabele baan opgeeft, is het alsof je weer helemaal opnieuw begint. Het is niet makkelijk, en het lukt misschien niet meteen de eerste keer, maar het kan uiteindelijk tot grote dingen leiden. Ik had behoefte aan een nieuwe energiebron. Het was tijd om iets nieuws te gaan doen.

Ik belde Evan en zei: 'Ik wil hier weg en bij Odeo komen werken.'

Hij zei: 'Fantastisch.'

Dus ging ik weg bij Google.

Opnieuw beginnen is een van de moeilijkste stappen die je in je leven kunt zetten. Zekerheid, vastigheid, geborgenheid – het is griezelig, misschien wel gewoon onverantwoord om dat alles achter te laten. Ik werkte in 2003 bij Google en ik had daar nóg kunnen werken. Maar ik had vertrouwen in mijn toekomstige ik. (Tenslotte had mijn ooit-toekomstige ik ook eindelijk voor elkaar gekregen om de Toyota Matrix af te betalen.) Ik kon de anderen van dienst zijn bij het opbouwen van iets nieuws.

Tegen die tijd hadden Livia en ik, nadat we eindelijk onze schulden hadden afbetaald, de huur van onze wandeling van negen verdiepingen in Potrero Hill opgezegd, een flat in Palo Alto gehuurd en ging ik inmiddels op de fiets naar mijn werk. Na twee jaar forenzen van San Francisco naar Mountain View reed ik nu terug van Palo Alto naar het kantoor van Odeo in de stad. Ik had mijn woon-werkverkeer omgedraaid.

En dus verhuisden we weer. Deze keer mocht Livia beslissen waar we zouden gaan wonen, want mijn staat van dienst op dat gebied was mager. Ze koos Berkeley, en omdat we het wel gehad hadden met huurbazen van wie we onze menagerie aan opgevangen zwerfdieren niet mochten meenemen, wilden we een eigen huis kopen. Livy was directeur van WildCare in San Rafael, een opvangcentrum voor wilde dieren. Wat ze daar doen, is iets heel anders dan wat een dierenarts doet, waar mensen een te dikke poes naartoe kunnen brengen om te proberen dat dier zeventig te laten worden. Als mensen gewonde dieren vinden (eekhoorns, buizerds, uilen, stinkdieren) dan brengen ze ze naar WildCare. Maar anders dan bij honden en katten is er geen vast protocol voor sommige van die gevallen. (Hoe maak je een kunstpoot voor een zeemeeuw?) WildCare is een non-profitorganisatie en improviseert heel vaak maar een beetje met het geld dat via donaties binnenkomt. Een klein muisje met een gebroken pootje? Ze repareren het pootje met tandartsenapparatuur uit de jaren zeventig. Livy redde levens. Ze is verslaafd aan het helpen van anderen, en ze inspireert me heel erg met haar leven vol altruïsme.

In die tijd zorgden we zelf voor twee zwerfhonden, twee zwerfkatten en een zwerfschildpad. Regelmatig hadden we ook pleegkonijntjes, -kraaien en -knaagdieren in allerlei soorten en maten in huis. Dus we namen al ons spaargeld op en gebruikten dat als aanbetaling. We kochten een klein huisje van vijfenzeventig vierkante meter dat was gebouwd als de woonruimte voor de meid bij een groter huis. De helft van die vierkante meters werd ingenomen door de garage.

Ik zal mijn tweeëndertigste verjaardag in dat huisje nooit vergeten. Livy, die voor de verzorging van onze dieren het meeste werk verzette, was bijna een hele week naar een medisch congres en ik moest de dieren in mijn eentje doen. Ik kreeg daardoor een beetje gevoel voor het werk dat zij professioneel en vaak ook bij ons thuis deed. Een van de honden had vaak toevallen. De andere hond was bang en viel mensen aan. Er was een kat die overreden was door een auto en nu steeds diarree had. Livy liet mij achter met dat hele stelletje, plus vijf babykonijntjes in de garage waarvan de moeder was omgekomen. Ze waren echt schattig, maar ze moesten het nog van moedermelk hebben en ik moest ze melk geven met een injectiespuitje. Dan had je de kraaien, die overwinterden in een reusachtige volière die ik precies in de open ruimte tussen ons huis in Berkeley en de schutting van de buren had weten te proppen. De volière was voor de kraaien groot genoeg, maar ik moest bukken als ik erin wilde om ze een stinkende melange van dode spiering en fruit te voeren. Livy had gezegd: 'Denk er in elk geval om dat de kraaien niet in paniek raken. Ze hebben een gebroken vleugel en ze mogen er niet mee fladderen.' Dus ik moest heel stil en rustig zijn terwijl ik de voederbak losklikte, die door een nieuwe verving en die weer vastklikte. Maar het stomme ding wilde niet loskomen. Wespen, aangetrokken door het voer, zwermden rond mijn hoofd. Ik moest kalm blijven – ik kon de kraaien niet laten schrikken – tijdens een twintig minuten durend wespenfestijn terwijl ik de voerbak verving.

De tweede dag dat Livy weg was, was ik jarig. Om twee uur 's nachts kreeg Pedro, de oudste hond, een toeval. Ik holde naar boven met alleen mijn onderbroek aan en trof hem aan met zijn tong uit zijn bek en uitpuilende ogen. Ik dacht dat hij doodging. Ik pakte hem op en hield hem vast zoals ik meende Livy te hebben zien doen. Als een explosie kwam de hondendiarree over me heen. Toen ging de telefoon. Het was Livy, die me terugbelde na mijn wanhopige roep om hulp. Met de hond in mijn armen, ónder de poep, probeerde ik op te nemen zonder de telefoon vies te maken. En net op dat moment hield de toeval op. 'Alles weer oké,' zei ik tegen Livy, en ik hing snel op. Terwijl ik mezelf schoonpoetste, holde Pedro rond alsof hij een puppy was, dol van vreugde dat hij nog leefde.

Met een nieuw huis en een start-upsalaris van Odeo waren Livy en ik onmiddellijk weer hard op weg naar een creditcardschuld. Maar ach, het zou geen echt vertrouwen in mezelf zijn geweest als de lat niet zo hoog had gelegen. Ik had gekozen voor risico en creativiteit, en die keuze zou me wat opleveren... uiteindelijk.

3

DE KONINGEN VAN DE PODCAST-ABDICATIE

Ik heb er nooit spijt van gehad dat ik bij Google weg ben gegaan, maar ons nieuwe bedrijf zou het uiteindelijk niet halen. De reden daarvan was een belangrijke les voor me, die verder ging dan de basisprincipes van zakendoen en ondernemerschap.

Op een bepaald moment hadden we bij Odeo meer dan tien man aan het werk. Podcasting werd een populaire activiteit, in elk geval bij de groep mensen die nerd-achtig zijn en altijd vooraan staan bij nieuwe ontwikkelingen. Altijd als iets op internet populair werd, bestond het risico dat Apple of een ander megabedrijf er met sterke ontwikkelteams op zou duiken en de markt zou gaan beheersen. Maar het was nooit bij ons opgekomen dat Apple interesse in podcasting zou kunnen hebben. Waarom zouden zij zo'n schamel dingetje in hun belangrijke besturingssysteem willen verwerken? In die tijd leek het erop dat Apple geen belangstelling had voor *social software*.

Tot onze verrassing introduceerde Apple eind 2005 podcasting in iTunes. Terwijl wij het zagen als een manier voor mensen om informatie uit te wisselen, zag Apple het als een manier om mensen op het moment dat het hun uitkwam naar professionele, radioachtige vormen van entertainment te laten luisteren. Dat was een toepassing waar ze iets mee konden. En het bleek dat ze gelijk hadden met hoe podcasting meestal zou worden gebruikt.

Deze ontwikkeling had de genadeklap kunnen zijn voor onze start-up. Waarom zou iemand naar Odeo gaan als hij gewoon iTunes kon gebruiken? Maar deze les, uitkijken voor de grote jongens, was niet iets wat ik hoefde te leren, en daar ging het mij ook niet om. Ev kreeg de lumineuze ingeving om zich nu met Odeo te richten op één specifieke eigenschap van podcasting, namelijk een manier om mensen aanbevelingen te laten krijgen gebaseerd op wat zijzelf of mensen met een vergelijkbare smaak goed vinden. We hadden heel erg het gevoel dat Apple zich niet zou bemoeien met het sociale aspect van podcasting. Ze hadden geen fotocommunity's om hun fotoapp heen. We konden onze huid redden door te werken aan iets wat iTunes waarschijnlijk niet zou doen.

Het was de juiste zakelijke stap. Tegen die tijd deed het er echter al niet meer toe, want er was iets anders wat Odeo de nekslag gaf, iets wat verwoestender was dan een zakelijke concurrent met veel geld op zak.

Noch Ev, noch ik, noch (vermoed ik) verschillende andere teamleden waren eigenlijk in podcasts geïnteresseerd. We luisterden er zelf niet naar. We namen ze zelf niet op. Het is een feit dat goede audio goede productie vereist. Het is geweldig om naar Terry Gross te luisteren, maar te luisteren naar hoe een of andere gek in zijn kelder een uur lang zit te zeuren over XML met een microfoon van povere kwaliteit en zonder goeie geluidsproductie, dat is behoorlijk lastig. We misten iets wat de kern is van een succesvolle start-up, en dat is groter dan geluidskwaliteit. Het is emotionele investering. Als je niet heel erg dol bent op wat je aan het maken bent, als je er zelf geen enthousiaste gebruiker van bent, dan zul je hoogstwaarschijnlijk mislukken, zelfs als je verder alles goed doet.

—

Ik kan niet werken aan iets waarin ik niet geïnteresseerd ben. Toen ik een keer op de middelbare school een werkstuk moest schrijven voor het vak politiek, blokkeerde ik helemaal. De onderwerpen waren saai, en ik kon mezelf maar niet aan het werk krijgen. Ik zou voor het vak zakken of een slecht cijfer krijgen, tenzij ik iets kon verzinnen waardoor ik plezier in die opdracht kreeg. Toen besloot ik dat ik zou schrijven over waakzaamheid en daarbij Batmanstrips zou gebruiken als mijn primaire materiaal. Zodra ik dat onderwerp, dat mijn volle belangstelling had, had bedacht, schreef ik het stuk in één keer.

—

Evan en ik waren er nog niet helemaal achter dat we niet genoeg om podcasting gaven. Toen Apple met podcasting op de markt kwam, stuurde Evan een memo naar enkele teamleden. Het was een heel goed beargumenteerd plan om een succes van Odeo te maken door ons te richten op wat wij sociale ontdekking noemden: aanbevelingen die door een service naar boven komen en gebaseerd zijn op materiaal waarvan mensen eerder te kennen hebben gegeven dat ze het goed vonden; zoiets als wat Amazon met boeken doet. Toen ik Evans notitie las, wist ik meteen dat het een goed plan was en dat het waarschijnlijk zou werken. Op een avond in diezelfde week gingen Ev en ik sushi eten en whisky drinken in een zaak in San Francisco die we allebei leuk vonden. Ik begon over zijn memo. Ik wilde hem iets vragen.

'Ev, ik vond dat echt goed wat je hebt geschreven. Het is echt een slim plan en het zal zeker werken.'

'Bedankt.'

'Als we uitvoeren wat jij hebt voorgesteld, worden we de koningen van podcasting.' Ik maakte een zwierig gebaar bij het woord 'koningen van podcasting'. Ik liet het heel koninklijk klinken.

'Nou nou! Vind je het zó goed?' Ev zag er heel tevreden met zichzelf uit.

'Ja,' zei ik, 'maar ik wil je iets vragen.'

'Wat dan?'

'Wíl je de koning van podcasting zijn?' vroeg ik, want dat was de vraag die ik mezelf al een tijdje stelde.

Ev nam een slokje van zijn whisky, zette het glas neer en lachte toen. 'Nee, ik wil absoluut niet de koning van podcasting zijn,' zei hij.

'Ik ook niet,' zei ik. Ik zag het belang van wat we zeiden heel goed. Hoe konden we dit doen als het niet iets was waar we enthousiast over waren? Maar tegelijkertijd was ik ook heel blij met deze onthulling. *Als we er niet echt voor gingen, konden we er niet mee doorgaan.*

Ev besefte dat ook en ging niet lang door met lachen. Hij liet zijn kin op zijn hand rusten en kreunde gefrustreerd. Ik begreep wat dat betekende: 'Je hebt gelijk. En wat nu?'

Evan is waarschijnlijk een van de weinige mensen ter wereld

die met mij kunnen werken. Zoals ik al zei: hij geeft mij de vrijheid om gestoord te zijn en gestoorde ideeën te hebben. Als ik zou zeggen: 'Wacht eens even, ga er nou eens van uit dat er geen zwaartekracht is', zou Evan zeggen: 'Ja, ga verder.' Hij schat mijn brainstormvermogen en intuïtie op waarde en begrijpt dat er onder al dat irrelevante gewauwel misschien ergens een bruikbaar idee verborgen ligt. Daarom zijn we ook een goed team. Ik hang hoog in de wolken, en hij staat dus met beide voeten op de grond.

Ev is altijd geduldig als ik hardop wil denken. En dat deed ik die avond dus ook.

'We zouden gewoon met Odeo kunnen stoppen en met een heel ander idee kunnen beginnen. We hebben een goed stel mensen en nog best veel geld op de bank.'

Eerst leefde Ev op bij dat idee, maar toen betrok zijn gezicht weer. 'Hoe graag ik dat ook zou willen, we hebben dat geld van investeerders bijeen gekregen met het doel om een podcastbedrijf op te zetten. We kunnen het geld van andere mensen niet gebruiken om wat rond te liefhebberen met een aantal andere projecten die misschien iets worden en misschien ook wel niet.'

Daar had hij een punt. Dat zou ik ook niet prettig hebben gevonden. Dus gooide ik er nog wat ideetjes tegenaan.

'Misschien moeten we er dan gewoon helemaal uit stappen. Gewoon toegeven aan onszelf, de medewerkers, de investeerders, de raad van bestuur, aan iedereen, dat we er geen zin meer in hebben. Dan kunnen we het bedrijf verkopen aan iemand die juist dol is op podcasting.'

Ev besloot er serieuzer over na te denken. We aten ons bord leeg en lieten het daarbij.

Na ongeveer een week nam Ev de beslissing tegen de raad van bestuur te zeggen dat hij niet voornemens was om door te gaan als CEO van Odeo. Als ze wilden, zou hij hen helpen iemand anders voor de functie te zoeken. Maar dat wilde de raad niet. De investeerders hadden hun geld net zozeer op Evan ingezet als op het veelbelovende idee. Men besloot dat het het beste was om een agent in te huren om een koper voor Odeo te vinden.

In die periode nam Evan een besluit dat de loop van mijn leven voor altijd zou veranderen. Hij maakte bij de medewerkers bekend dat de raad van bestuur bezig was een koper voor Odeo te zoeken. Daarna stelde hij een 'hackathon' voor. Grotendeels om het moreel een opkikker te geven stelde Ev voor dat een deel van de medewerkers door zou gaan met Odeo, zodat het gewoon voor de mensen die het nu gebruikten in de lucht zou blijven, terwijl de rest 'hackte': we zouden twee aan twee in twee weken tijd bouwen wát we maar wilden. Dat was een geweldig idee, want we werden er allemaal door aangemoedigd om verder te gaan met de ideeën die ons het meest motiveerden. Als Evan deze uitdaging had bedacht als reactie op onze algemeen gevoelde apathie ten aanzien van podcasting en omdat hij vermoedde dat passie het beste in ons werk naar boven zou halen, was ik het volkomen met hem eens. En we hadden allebei gelijk.

Er was een programmeur bij Odeo die Jack Dorsey heette, en hij en ik hadden het vanaf het begin uitstekend met elkaar kunnen vinden. Jack was een rustige kerel, maar je kon hem heel gemakkelijk aan het lachen krijgen. We ontmoetten elkaar wel in het weekend en praatten dan over andere ideeën die we hadden voor start-ups of dingen die we hadden gemaakt en die waren mislukt. Bij Odeo werkten we samen aan miniprojecten. Het was net zoals op school als je iemand moet uitkiezen en je weet van tevoren al dat je je beste vriend kiest. Ik wist meteen dat ik samen met Jack die hackathon wilde doen. Maar wat zouden we gaan doen?

Het verhaal wordt nu een beetje warrig, omdat het meteen na Evs bekendmaking lunchpauze was. Een paar mensen gingen met elkaar naar buiten. Ik was er niet bij, maar kennelijk waren er bij Jack wat mensen aan wie hij uitlegde waaraan hij wilde gaan werken. Toen hij weer binnenkwam, vroeg hij of ik met hem een tweetal wilde vormen.

Ik zei: 'Ja, daar ging ik al van uit. Wat wil je gaan doen? Misschien fotobloggen? Het moet in elk geval iets beperkts zijn.' We hadden niet veel tijd en dus wilde ik het project simpel en elegant houden. 'We zouden Phonternet kunnen doen, een klein internet dat je alleen maar op een telefoon bekijkt. Zoals een MySpace voor telefoons.'

Jack zei: 'Die zijn te gek. Ik heb een idee.' Hij nam me mee naar de computer op zijn bureau om het uit te leggen. Samen keken we naar zijn buddy-list op AOL Instant Messenger (AIM). Er was daar een functie die Status heette. Daarmee kon je zeggen dat je even van je bureau weg was of was gaan lunchen of zo, zodat mensen wisten waarom je niet op hun bericht reageerde.

Een stuk of vijf van Jacks vrienden hadden hun status aangezet. Jack legde uit dat mensen in plaats van alleen maar 'Weg' of 'Bezig' of iets dergelijks vaak met hun statusboodschap speelden. Een van hen had de boodschap veranderd in 'Voel me blah', en een ander had er 'Zit te luisteren naar de White Stripes' van gemaakt of iets dergelijks. Jack zei dat hij het leuk vond om te weten hoe zijn vrienden zich voelden of wat ze van plan waren door een blik te werpen op die statusboodschappen. Hij vroeg me of ik dacht dat we iets dergelijks konden bouwen, een manier om een statusbericht te posten en een manier om de statusberichten van je vrienden te zien.

Ik vond de eenvoud en het beperkte van het idee geweldig. Het deed me zelfs denken aan twee 'short-format'-blogprojecten die ik eerder op de markt had gebracht, maar die niets waren geworden wat de moeite waard was. Voor ik bij Google kwam, had ik iets gemaakt dat Sideblogger heette en waarmee je snelle, kleinere overpeinzingen kon posten naast je meer doordachte blogposts. En toen ik bij Google werkte, had ik voor Blogger aan de 'Go' gewerkt, short-format bloggen met een mobiele telefoon.

Als jongen was Jack gefascineerd door hoe steden werkten en hoe taxiritten werden gepland. Als je daar vat op had, had je vat op de hartslag van de stad. Het leek hem mooi om te zien hoe al die statusupdates de maatschappij op net zo'n manier in kaart zouden brengen – hoe je met software menselijk gedrag kunt vangen en weergeven. Ik zat aan de sociale kant van het sommetje. Ik was geïnteresseerd in wat speciale interacties tussen mensen mogelijk maakte.

Toen zei Jack: 'Het is dan toch nog steeds Odeo, want je kunt een fragmentje audio aan de tekst hangen.'

Ik zei: 'Nee, als we dit gaan doen, laten we het dan supereenvoudig doen, en geen audio meer.'

Jack lachte. 'Oké, geen audio.'

Ik zei: 'Ik maak wel even wat.'

Hij zei: 'Ik denk wel even na hoe we het eenvoudig kunnen bouwen.'

In het begin dachten we dat we iets bouwden waarmee je met de telefoon je status kon aanpassen voor je vrienden. De website zou alleen maar een startscherm worden waarin mensen hun telefoonnummer konden opgeven. Maar wie gaat er nou naar zomaar een website om daar gewillig zijn telefoonnummer aan ons te geven? We gooiden dat idee eruit, en ik begon na te denken over verschillende manieren waarop we mensen hun status konden laten aanpassen: een internetinterface, een instant message... Maar we hadden het over een statusmelding waarmee mensen lieten weten wat gingen doen als ze 'weg' waren van hun gewone leven. Daarom was het beste waarschijnlijk een tekstbericht vanaf een mobiele telefoon.

Als iemand ons met een telefoon een statusmelding stuurt, hoeven we het telefoonnummer niet meer te vragen, want dat hebben we dan al. Zich aanmelden doet iemand eerst alleen met tekst. Toen bedachten we dat we mensen hun status moesten laten aanpassen via internet en dat de melding dan nog steeds naar de telefoon van anderen gaat.

Dat werd dus ons project. Jack en ik besloten dat we iets moesten bouwen waarmee mensen eenvoudige statusaanpassingen kunnen uitwisselen via sms (tekstberichten). Ik zou de internetinterface ontwerpen, iets waar mensen de berichten kunnen zien die ze uitwisselen, en Jack zou uitzoeken hoe we sms aan internet konden verbinden en andersom. Het was simpel, en ik was er veel enthousiaster over dan ik ooit was geweest over podcasting.

Noah Glass, die Odeo samen met Ev had opgericht, had de naam voor de podcastservice bedacht. 'Odeo' is een prima keuze, omdat het klinkt als 'audio' en visueel aantrekkelijk was. En dus vroegen Jack en ik Noah om hulp bij het verzinnen van een naam voor ons project.

In die tijd werkten we in een raar kantoor aan South Park 164. Het was vlak bij de ingang van het park, recht tegenover een benzinestation van Shell. De ruimte was gebouwd op een binnenplaats die werd gevormd door de buitenmuren van een paar andere gebouwen. De binnenmuren waren dus ooit de buitenkant geweest. In een ervan zat nog het oorspronkelijke raam, waardoor wij bij het gebouw naast het onze naar binnen konden gluren. Voorin zaten houten vloeren en een hoog plafond. Het was dus groot en open. Sommige mensen vonden het er wel cool, maar ik zou het niet hebben uitgekozen. De vloerbedekking was versleten, gevlekt en bleekgroen, in de kelder zaten muizen en aan de achterkant had je toegang tot een steegje met daklozen, injectienaalden en mensenpoep. Als je er nú komt, is het er behoorlijk chic. Er zijn nu koopflats, restaurants en bedrijven op de risicokapitaalmarkt, maar destijds was het een gribusbuurt.

Voordat wij er kwamen, was er achterin een of andere winkel, met een vloer van multiplex en opslag voor recyclebakken. Je kon de glazen schuifdeuren van die achterkamer dichtdoen en praten zonder dat de programmeurs er last van hadden. In dat hol was Noah vaak te vinden.

'We moeten een naam hebben die een snel en dringend gevoel uitstraalt,' zei een van ons tijdens een bijeenkomst in die achterkamer. De naam moest het idee weergeven dat je telefoon de hele tijd in je zak zoemt als de eenvoudige en onmiddellijke updates van je vrienden binnenkomen. Noah had een lijstje springerige woorden bedacht.

'Wat dacht je van Jitter?' zei Noah.

'Hmm, een beetje overdosis cafeïne, vind je niet?' zei ik.

'Of Flitter of Twitter of Skitter.' Noah zat nu achter zijn computer op zoek naar woorden die rijmden op Jitter.

'Twitter,' herhaalde ik enthousiast. Het deed me denken aan het lichte geluid van kwetterende vogels. Het betekent ook kort of onbeduidend gesprekje. 'Jongens, dat is echt perfect.'

Noah voelde meer voor Jitter of Jitterbug. Hij vond dat we de pijlen op kinderen moesten richten. Ik wilde geen pijlen op kinderen richten. We hadden helemaal geen verstand van kinderen. Ik vond zelfs die twee begrippen in combinatie met elkaar niet fijn: pijlen richten en kinderen.

Dit was gewoon een hackproject, en ik was zo weg van de naam Twitter dat de anderen het ermee eens waren of makkelijk bezweken. Als ik erop terugkijk, was het een stuitend kort en informeel gesprekje.

—

Tijdens de hackathon van twee weken leerden Jack en ik onszelf de regels van het gebruik van een korte code, het vijfcijferige telefoonnummer dat mensen zouden gebruiken om hun berichten te versturen. We wilden dat de korte code 'Twttr' luidde. Jack vond de registratiepagina en typte het in om te kijken of de code nog beschikbaar was, maar hij was al geclaimd door het tijdschrift *Teen People*. We probeerden allerlei variaties (twitr en zo), maar besloten toen het maar uit ons hoofd te zetten. We zochten er een die makkelijk te onthouden is en die je met één hand kunt intikken. We kozen 40404. Die 4 en 0 hadden de juiste afstand van elkaar voor een duimbeweging op de telefoons in die tijd. Heel even overwogen we gniffelend de service 40404 te noemen. Jack vond de esthetische eenvoud wel erg goed, maar Twitter was veel beter. We besloten dat we het op Twitter zouden houden.

Terwijl Jack met de programmatuur bezig was, bouwde ik een prototype waarmee je kon zien hoe het zou werken. Als Jack en ik aan het werk waren, rolden we op onze bureaustoelen naar elkaars bureau toe om te praten, of ik draaide mijn scherm naar hem toe en vroeg dan wat hij van het ontwerp vond. Ik hield het strak en eenvoudig, voornamelijk wit. Dat vonden we allebei mooi. Meestal was ik heel opgewonden en bleef Jack rustig. Ik maakte grappen en hij lachte. Ik zat op mijn knieën op mijn stoel en draaide als een kind in het rond terwijl ik onophoudelijk praatte en mezelf herhaalde als ik enthousiast was; Jack luisterde rustig. Of ik lag op de grond te praten terwijl Jack netjes op zijn stoel zat, met zijn handen gevouwen of plat voor zich op het bureaublad, bijna uitdrukkingsloos, behalve als hij moest grinniken. Soms gingen we een tijdje naar buiten, om te lopen door de stad en te praten over ideeën.

Ik praat heel veel. 'Nee, dat is een slecht idee. Wacht, het is een goed idee. Is het wel een goed idee?' Het ging met Jack net als met Ev: ik brainstormde en zij filterden. Ze waren allebei geduldig genoeg om te luisteren naar de junk – of ik gaf ze geen kans om er een woord tussen te krijgen.

—

Aan het einde van onze twee weken hadden Jack en ik nog steeds geen werkend prototype, maar ik had wel een model gemaakt van een nepinternetversie van Twitter. Tijdens de hackathon-presentatie kwamen onze collega's met een paar van hun eigen projecten aan. Een daarvan (uitgevoerd door Adam Rugel, geloof ik) stak de draak met wat Jack en ik aan het bouwen waren en waarvan iedereen inmiddels af wist. Het heette Friendstalker, en als ik het me goed herinner, zette het alle posts van je vrienden op één plaats bij elkaar zodat je alle internetactiviteit van je vrienden tot één geheel kon smeden. Florian Weber deed iets wat Off Da Chains heette. Ik heb geen idee meer wat het was. Een ander duo kwam met een concept voor groepscommunicatie.

Toen het onze beurt was om Twitter aan de medewerkers

van Odeo te presenteren, stond ik op en gaf ik een demo van de 'service' met een laptop verbonden aan een projector. Het gaf niet dat het programmeerwerk nog niet klaar was. In de demo kon ik met een paar klikken de collega's een idee geven van het sturen van een statusboodschap met de telefoon en die vervolgens gepost laten zien op internet.

Het eerste scherm liet een webpagina zien. Bovenaan stond: 'Wat ben je aan het doen?' en daar kon je je status intikken. Ik typte: 'een demo geven'. Toen klikte ik op 'Versturen' en er verscheen een volgend scherm, waarin mijn status bovenaan stond:

een demo geven

Onder die regel stonden nepposts van allerlei andere mensen die de service gebruikten. Daaronder was een streep en onder die streep stonden berichten van mijn favoriete mensen.

Toen zei ik: 'Hier is de telefoon van Jack.' Ik klikte naar het volgende beeld, waarop zijn telefoon te zien was met mijn tekstbericht, 'een demo geven', dat ik erop had gephotoshopt.

Daarna liet ik zijn telefoon zien terwijl daarop het bericht: 'zit te lunchen' naar 40404 werd verstuurd. Het volgende beeld was weer een webscherm, waarop we nu konden zien dat Jack zat te lunchen.

Dat was het. Onze demo liet zien hoe de communicatie tussen telefoons en internet zou werken. Ik had er als kop boven gezet: 'Twitter, een Odeodingetje.'

Het team was niet bepaald onder de indruk van wat we hadden gemaakt. Iemand zei dat het te simpel was en dat er iets interessanters bij moest, zoals filmpjes of plaatjes. Wij zeiden dat het er nou net om ging dat het echt heel simpel was. Al met al werd het project niet erg goed ontvangen.

Toch liet het concept Jack en mij maar niet los. De hele rit met de metro naar mijn werk kon ik alleen maar denken aan ideeën voor Twitter, functies voor de gebruikersinterface, vragen waar ik het met Jack over wilde hebben. *O god, als we dat doen, dan zouden we dit kunnen doen. Nee wacht, dat werkt niet. En als we nou eens dit deden?* De metro kon me niet hard genoeg gaan. Ik liep dan gauw van Montgomery Station naar South Park om zo snel mogelijk aan het werk te kunnen gaan. Elke dag ontstond er meer momentum. Het was een idee waar ik maar niet van los kon komen. Zo voelde het. Later kon ik het benoemen: het was emotionele betrokkenheid, maar op dat moment kon ik het niet thuisbrengen. Ik was te druk bezig met er middenin zitten.

Jack en ik vonden het heerlijk om met elkaar te werken, en we wilden allebei erg graag doorgaan tot we een werkende versie van het idee hadden die we konden uittesten. Na onze presentatie vroegen Jack en ik in een vertrouwelijk gesprek met Evan of we samen met Twitter verder mochten gaan. Evan vond het goed. We zouden over een paar weken een prototype klaar en werkend hebben. Dat hackathon-project van twee weken was het begin van Twitter.

Ons kantoor was een open ruimte met een soort vide achterin. Ev en ik hadden op die tussenverdieping ons bureau, vlak bij elkaar. Ik liep vaak naar zijn bureau om hem ergens mee lastig te vallen. Het was de enige manier om informatie uit zijn stille Nebraskaanse hoofd te trekken.

Ongeveer een week na de hackathon liep ik naar Evan toe, ging op een opblaasyogabal zitten en vroeg hoe het ermee was. Hij vertelde dat de raad van bestuur nog geen koper voor Odeo had gevonden. Kennelijk waren wij niet de enigen die enthousiasme misten voor podcasting. Als niemand het bedrijf kocht, zou het echt een mislukking zijn geworden: het geld dat we hadden opgemaakt, zou verloren zijn en de geldverstrekkers zouden waarschijnlijk nooit meer in iets van ons willen investeren. Dat was de reden waarom ik er altijd voor zorgde dat ik even bij Evan ging informeren. Belangrijke informatie, ideeën en zorgen konden in hem blijven dooretteren. Hij maakte nooit iemand proactief ergens deelgenoot van.

'Ik heb alle mogelijke routes verkend,' zei hij. 'Er is geen uitweg.'

We zaten even een paar momenten in stilte – hij onbeweeglijk, ik licht op en neer stuiterend. Toen keek ik naar hem. Ik wist niet hoeveel geld hij had, maar ik nam aan dat hij veel aandelen had overgehouden aan de verkoop van Blogger aan Google vóór de beursgang van Google.

Ik zei: 'Er is een koper voor Odeo als we dat willen.'

'Heb je wel geluisterd?' vroeg Ev. 'Ik zei toch net: er is geen koper.'

'Jawel, er is er een: jij,' zei ik. 'Als jij nou Odeo eens kocht? Dan krijgen de investeerders hun geld terug, blijft onze reputatie intact en kunnen we alles doen wat we zelf willen.'

Ev vond dat er wel iets in dat idee zat. Hij had het zelfs voordat ik ermee aankwam zelf al kunnen bedenken, maar het was een onconventioneel plan, om het zacht uit te drukken. Ondernemers halen normaal gesproken geen geld op bij venturekapitaalverschaffers, creëren vervolgens een wankelend bedrijf en kopen dat bedrijf dan van de kapitaalverschaffers. Als het negatief zou worden opgevat dat hij zich met eigen geld uit een mislukking zou kopen, zou het Evs reputatie en carrière geen goed doen.

Ik opperde dus dat we formeel konden aankondigen dat Ev en ik samen een nieuw bedrijf zouden beginnen als incubator voor start-ups, en dat we planden om Odeo over te nemen. Aangezien alle prachtige dingen logisch (*obvious*) lijken als je er later op terugkijkt, zouden we het bedrijf Obvious noemen.

Ik kon natuurlijk heel gemakkelijk in dat plan meegaan, aangezien ik helemaal geen geld te bieden had – hoewel niemand buiten mijn onmiddellijke vriendenkring (behalve Visa) dat wist. Erger nog, ik had – weer – geld geleend om mijn creditcards af te betalen. Mijn rentetarief was een kolossale 22 procent, en als ik het sommetje maakte, besefte ik dat het bij betaling van het maandelijkse minimumbedrag meer dan tweehonderd jaar zou duren om mijn schuld af te betalen. Mijn kleinkinderen zouden nog aan het aflossen van mijn creditcardschuld meewerken. Dus leende ik geld van Ev. We regelden het als een wettelijke lening met rente, maar hij gaf me een veel menselijker tarief.

Los van mijn financiële beperkingen leek het erop dat de toevoeging van mijn naam aan de zijne voor deze deal Evan een comfortabeler gevoel gaf. Op die manier kon hij, als alles misging, de schuld voor een deel op mij afwentelen. Dan zouden we allebei als grote sukkel worden gezien (maar toevallig zou het goed gaan).

Obvious deed het aanbod Odeo en alle bijprojecten ervan (inclusief Twitter, waarvan niemand dacht dat het de moeite waard was) te kopen van de investeerders. Van de vijf miljoen dollar die voor Odeo was bijeengebracht, waren er nog drie over. Obvious bood aan het bedrijf voor twee miljoen te kopen, plus nog een beetje meer, zodat de investeerders al hun geld terugkregen en dan nog wat extra. Het werkte goed: de investeerders waren tevreden. Uiteindelijk vond Ev een koper voor de technologie van Odeo. Een Canadees bedrijf kocht die voor een miljoen dollar, en dat geld vloeide terug naar Ev. Als je het goed uitrekent, betekent dat dat Ev Twitter voor een miljoen dollar had gekocht – echt een koopje vergeleken bij wat het tegenwoordig waard is.

Ik was overgekomen van Little, Brown in Boston en was gestart met mijn eigen bedrijf als websiteontwerper. Vervolgens was ik na een korte periode bij Xanga overgestapt naar een baan bij Wellesley College, daarna naar Google, naar Odeo, en nu naar Obvious, waar ik meteen al aan een project werkte dat me bezighield op een manier die ik nog nooit eerder had ervaren. Toen de lente van 2006 aanbrak, trok dit kleine project eindelijk de aandacht van de rest van het bedrijf. De nieuw gesmede medewerkers van Obvious begonnen aan Twitter te werken, en we gingen goed vooruit.

Toen we de interactie van het tekstgedeelte met het internetstuk van Twitter voor elkaar hadden, werkte ik thuis en IM'de ik met Jack. Het was 21 maart 2006, 11.47 uur. Toen Jacks tweetdebuut – we noemden tweets toen nog updates – op mijn scherm verscheen, was ik zo enthousiast dat ik naar hem de beroemde woorden van Alexander Graham Bell gericht aan zijn assistent IM'de toen Bell zijn eerste telefoontje pleegde:

Meneer Watson, kom eens hier – ik heb u nodig.

Later ontdekte ik dat ik niet helemaal goed had geciteerd, maar die huivering van blijdschap hadden we allemaal in de begintijd toen we Twitter werkend kregen. Ik was bij Google weggegaan en naar Odeo vertrokken op zoek naar vruchtbare grond voor creativiteit. Wat ik bij Odeo niet had gevonden, was vanaf het begin aanwezig bij Twitter. Natuurlijk, ik wilde die Bloggerbaan bij Google dolgraag hebben. En ik was daar heel enthousiast weggegaan om bij Odeo te gaan werken. Ik had het gevoel gehad van echte passie. Maar wat ik nu voelde, was anders. Dat gevoel van high zijn: de opwinding van iets bedenken, de moeiteloze stroom van ideeën (goede en slechte), de overtuiging dat datgene wat je aan het doen bent zinvol en tof is – het lijkt wel een beetje op verliefd worden. Ik wist pas wat ik zocht toen het pal voor mijn neus stond.

In het begin kochten we de domeinnaam twitter.com nog niet. Een vogelliefhebber was daar al de eigenaar van. In plaats daarvan begonnen we met onze service op twttr.com. Op een bepaald moment stelde Noah voor dat we het ook zo zouden spellen: Twttr. Zoals Flickr. Maar ik wilde dat onze naam een echt Engels woord uit het woordenboek was. Later, toen we de domeinnaam van die vogelaar hadden gekocht, was mijn blogpost: 'We hebben de klinkers gekocht.'

Lang hielden we de homepage zoals we hem oorspronkelijk hadden ontworpen, met de recentste tweets van iedereen die Twitter gebruikte. In feite was dat de basis voor veel van de reacties die we kregen. *Wie is Joey B en wat kan mij het schelen wat hij bij zijn ontbijt eet?* Wat we uiteindelijk leerden, is dat het sommige mensen wél iets kan schelen wat Joey B bij zijn ontbijt eet. Met de Volgknop konden die mensen zichzelf met de Joeys B identificeren.

Toen we voor het eerst met het idee kwamen voor 'volgers', konden we het niet met elkaar eens worden over de terminologie. Sommigen vonden dat we het 'Luisteren' moesten noemen. Maar het was geen luisteren, het was updates lezen. 'Abonneren' was te saai. Ik stelde 'Volgen' voor.

'Je vólgt zo iemand, net zoals je het nieuws volgt en het voetballen volgt. Je vólgt Biz Stone.'

Die opwinding – het plezier dat ik bij podcasting nooit had gevonden – zou blijven bestaan gedurende de hele totstandkoming van Twitter, maar er is één bepaalde dag die ik me meteen kan herinneren. Het was vroeg in de prototypefase, voordat we in de lucht waren. Er waren er bij ons maar een paar die Twitter gebruikten. Mijn vrouw en ik woonden in ons kleine huisje in Berkeley. Er was een hittegolf. Ik had besloten dat ik die dag wat in huis zou klussen.

Ik moest denken aan de oude afleveringen van *This Old House*, waar ik als kind graag naar keek, en ik dacht: Ik trek al die ooit witte vloerbedekking eruit zodat we van die mooie hardhouten vloeren eronder kunnen genieten. Met een schaar maakte ik een grote houw in de vloerbedekking. Daarna begon ik met het lastige karwei om het spul van de spijkers los te krijgen waarmee het langs de randen was vastgezet. Pas toen ik de vloerbedekking al had geruïneerd, ontdekte ik dat er geen hardhouten vloer onder lag.

Ik kon niet meer terug en dus besloot ik de vloerbedekking er toch maar helemaal uit te halen. Op mijn hurken, zwetend door de hittegolf en vloekend om mijn stommiteit voelde ik mijn telefoon zoemen in de zak van mijn spijkerbroek. Ik probeerde de telefoon uit mijn zak te morrelen en las een tweet van Evan Williams:

Nippend aan een pinot noir na een massage in Napa Valley.

Door mijn situatie op precies datzelfde moment en hoe die absoluut niet overeenkwam met die van Ev, barstte ik in een schaterlach uit. Mijn vrouw dacht dat ik gek was geworden. In werkelijkheid was ik niet alleen geamuseerd: ik werd verlicht. Op dat moment besefte ik waarom mijn andere startups waren mislukt en waarom Twitter het wél zou maken. Twitter bracht me plezier. Ik stond hardop te lachen op een zondagmiddag dankzij de applicatie waaraan ik veel dagen en nachten had gewerkt. Ik was gepassioneerd door dit project.

Die heel erg warme dag in Berkeley heeft een speciaal plaatsje in mijn herinnering omdat het de dag was waarop ik de waarde besefte van emotioneel investeren. Je vóélt het gewoon als iets de moeite waard is om mee door te gaan; je weet niet precies hoe dat komt, maar dat geeft niet. Succes is niet gegarandeerd, maar van mislukking kun je zeker zijn als je niet echt emotioneel in je werk investeert.

Die betrokkenheid was een kritiek element dat ons door de lastigste uitdagingen zou slepen die nog in het verschiet lagen. In het begin had iedereen grappen gemaakt over Twitter. Iemand had het het '*Seinfeld* van internet' genoemd: een website over niets. Dat was als belediging bedoeld. Niet uit het veld geslagen zette ik die opmerking bij de wisselende adhesiebetuigingen op de homepage van de website. Ik vatte het op als een compliment. *Seinfeld* is misschien wel de leukste serie aller tijden! Hoe vaak het ook misging met Twitter – en we moesten herhaaldelijk met veel inspanning de service weer in de lucht krijgen en uitleggen waarom Twitter weer was gecrasht, mijn vertrouwen in het idee hield me op de been. Ik kon elke strijd aan als mijn werk me vreugde bracht. Mijn passie voor het project maakte me immuun voor alles wat mensen stom en nutteloos aan Twitter vonden. Ik, die er geen behoefte aan had gehad om koning van het podcasten te zijn, vond het helemaal te gek om de schepper van Twitter te zijn. Dat was een krachtige les.

Zo vaak volgen mensen een carrièrepad zonder na te denken over waar ze echt door geïnspireerd raken. Hoeveel mensen studeren af, zien dat juristen en artsen veel geld verdienen en volgen diezelfde route, om erachter te komen dat ze het vreselijk vinden? Ik denk aan de komiek Demetri Martin, die vaak in *The Daily Show* is te zien. Hij studeerde rechten aan New York University, maar in plaats van advocaat te worden eindigde hij als een spitsvondige komiek die in zijn act ukelele speelt en poppen gebruikt.

Soms pakt het goed uit als je een loopbaan start omdat die lucratief is, omdat je ouders dat graag willen of omdat je die carrière op een presenteerblaadje krijgt aangeboden, maar vaak begint het te knagen nadat je er een tijdje in hebt gezeten. Het is net alsof iemand anders de gps-coördinaten in je telefoon heeft ingetikt. Je zit aan je koers vast, maar je weet niet eens waar je naartoe gaat. Als de route je geen goed gevoel geeft, als je automatische piloot je op een dwaalspoor brengt, dan moet je vraagtekens zetten bij je bestemming. *Hé! Wie heeft er 'meester in de rechten' in mijn telefoon gezet?* Zoom uit, bekijk eens van bovenaf wat er met je leven gebeurt en ga nadenken over waar je echt naartoe wilt. Bekijk het hele plaatje: de wegen, het verkeer, de bestemming. Bevalt het je waar je bent? Bevalt het eindpunt je? Als je een verandering wilt aanbrengen, is dat dan een kwestie van je uiteindelijke bestemming opnieuw op de kaart aanbrengen, of zit je helemaal op de verkeerde kaart?

Gps is een fantastisch hulpmiddel, maar als jij niet degene bent die de gegevens invoert, kun je er niet op vertrouwen dat het je de goede kant op leidt. De wereld is groot en je kunt hem niet zien alsof hij voorgeprogrammeerd is. Geef jezelf de kans om van route te veranderen op zoek naar emotionele betrokkenheid.

Als je 's morgens niet wakker wordt met een enthousiast gevoel voor de dag die voor je ligt en je denkt dat je op de verkeerde route zit, hoe moet je je weg dan vinden? Ik zeg altijd tegen mensen dat ze bakzeil moeten halen. Stel je voor dat je aan iets werkt wat je heerlijk vindt. Maak daar een beschrijving van voor jezelf. Concentreer je niet op hoeveel geld je wilt verdienen. Nee, denk hieraan: wat voor soort mensen heb je om je heen? Wat voor werk doen ze? Hoe begin jij met je werk? Welke bijvoeglijke naamwoorden zouden mensen gebruiken om te beschrijven wat jij doet?

Misschien is je ideale situatie dat je in een prachtig kantoor zit aan zee. Er hangen fietsen aan de muur meteen naast de deur, dus je kunt midden op de dag een ritje maken. Misschien zijn er zelfs wel bedrijfssurfboards. De mensen lachen. Misschien beschrijf je je fantasie wel en zeg je dan: 'We hebben op het werk veel plezier, maar soms werken we echt hard.'

Welke baan ziet er zo uit? Misschien moet je overwegen om te gaan werken voor een klein reclamebureau. Het klinkt als een of ander creatief bedrijf, wat je beschrijft.

Zodra je door ware passie wordt geraakt, kun je je alle keren voor de geest halen dat je in je leven de verkeerde droom hebt nagejaagd. En nadat je die langdurige voldoening hebt ervaren, zul je nooit meer met minder genoegen willen nemen.

4

EEN LESJE IN BEPERKING

Een van de eerste beslissingen die we in verband met Twitter hebben genomen, iets wat nooit is veranderd, is dat een boodschap beperkt blijft tot maximaal 140 karakters.

Beperking inspireert tot creativiteit. Een spatie is moeilijk te vullen, maar de kleinste prompt kan ons fantastische nieuwe richtingen op sturen.

Er zijn overal verhalen te vinden die daar het bewijs van zijn. Ik las ergens dat Steven Spielberg, toen hij de film *Jaws* maakte, een reusachtige, realistische mechanische haai wilde hebben om de scènes te kunnen schieten waarin het enge beest mensen aanviel. Maar het maken van zo'n haai op ware grootte bleek een budgettaire nachtmerrie, en dus kwam Spielberg met een goedkope oplossing op de proppen. Hij besloot te filmen vanuit de haai gezien, terwijl het beest onder water hongerig naar boven keek naar de smakelijke benen van de nietsvermoedende zwemmers. En raad eens? Véél enger. Die shots ontstonden doordat het budget van de regisseur beperkt was. Onlangs maakte *The New York Times* een grap over hoe de *Jaws* van tegenwoordig eruit zou zien, met Shia LaBeouf die een rockster speelt en een vrouw heeft die topmodel is: 'We zoomen in voor een superclose-up van de enorme met een computer gegenereerde tanden, in 3D, die hen allebei doormidden bijten.' Slap.

Nog een Spielberg-verhaal: Toen Harrison Ford *Raiders of the Lost Ark* filmde, drie maanden hard werken in Tunesië, kreeg de acteur een vreselijke aanval van diarree. Toen er een lang uitgesponnen zwaardgevecht opgenomen moest worden, stelde Ford, die dolgraag wilde stoppen voor die dag, voor dat hij bij het zien van de vijand met het blinkende zwaard simpelweg zijn pistool zou trekken en de kerel neer zou schieten. Deze geïmproviseerde oplossing werd een van de beste, grappigste en meest beeldende scènes uit de film.

Toen ik nog klein was, gingen we met het gezin bij bepaalde gelegenheden naar een restaurant in Waltham (Massachusetts) dat The Chateau heette. Er hingen fluweelschilderijen van Frank Sinatra aan de muur en het menu stond op de papieren placemats. Om mij af te leiden terwijl we op ons eten wachtten, draaide mijn moeder de placemat altijd om, pakte een pen uit haar chequeboek en zei tegen me dat ik wel een tekening mocht maken.

'Wat moet ik dan tekenen?' vroeg ik dan altijd.

'Teken maar iets,' antwoordde mijn moeder dan.

Maar ik staarde op het blanco papier en vroeg weer: 'Wat moet ik dan tekenen?'

Ten slotte zei zij dan: 'Teken maar een kiepauto.' Dat hielp. Ik begon meteen te tekenen. En niet per se een kiepauto. Waarschijnlijk werd het zelfs nooit een kiepauto. Maar het begrenzen van mijn mogelijkheden gaf mij een zetje om te beginnen. Ik had datzelfde gevoel toen ik begon met het ontwerpen van boekomslagen. Ik vond het prettig als iemand zei dat het een tweekleurenomslag moest zijn of dat er geen budget voor professioneel beeldmateriaal was. Of dat, wát het ook werd, er een kiepauto op het omslag moest.

In het bedrijfsleven ontstaan beperkingen door de tijd die je hebt om het project af te maken, het geld dat je hebt om erin te investeren, de mensen die je hebt om het te bouwen of de ruimte die je hebt om het uit te voeren. Geheel tegen de intuïtie in kunnen die beperkingen juist de productiviteit en creativiteit vergroten. Denk eens na over de vraag: 'Hoe heb je het gehad vandaag?' Het antwoord is bijna altijd: 'O, goed.' Maar als je de beperking in je vraag inbouwt ('Hoe was je lunch met Steve?'), krijg je een veel interessanter antwoord.

Ik zat eens tijdens een etentje naast Hermann Hauser, de man in wiens bedrijf ARM werd gemaakt, de technologie die de chips maakt die je in praktisch alle mobiele telefoons aantreft. Hij is een miljardair uit Silicon Fen, het hightechbedrijvengebied rond het Engelse Cambridge. Hermann zei tegen me: 'Ik zal je vertellen hoe we op de perfecte chip voor mobiele telefonie zijn gekomen. Gewoon bij toeval. Weet je wat ik aan mijn mensen heb gegeven? Geen geld, geen tijd en geen middelen.'

Vanwege de beperkingen kwamen de technici met een chip met laag vermogen die niet goed genoeg voor pc's was. Maar hij bleek perfect voor mobiele telefoons. En nu domineert die chip de markt.

Omarm je beperkingen, of ze nou creatief zijn, fysiek, economisch of zelf opgelegd. Ze zijn een stimulans. Ze zijn uitdagend. Ze maken je wakker. Ze maken je creatiever. Ze maken je beter.

Mijn favoriete kunstenaar is de beeldhouwer Andy Goldsworthy. Hij gebruikt uitsluitend natuurlijke materialen waarmee hij locatiespecifieke sculpturen maakt, meestal gewoon ergens buiten. Elk werk vergt een bijna onmogelijke, heel moeilijke inspanning; het is een ware uithoudingsproef. Hij gebruikt zijn blote handen om het centimeters dikke ijs op een meer in stukken te breken en weg te halen, en dan werkt hij zonder te pauzeren door tot hij met de stukken ijs een meer dan manshoge bolvorm heeft gemaakt. Of hij bouwt een stenen slangenmuur dwars door een bos in Schotland, te beginnen met een klein kiezeltje en daarna met stenen die steeds groter worden naarmate de muur verder slingert, om ten slotte te eindigen met kolossale keien. Of hij verzamelt rode bladeren, bindt die met hun steeltjes bijeen en rijgt ze door de bomen heen. Zijn projecten waaien weg in de wind, smelten in de zon of vergaan tot stof. De kortstondigheid van zijn werken voegt iets toe aan de schoonheid ervan.

Wat zeggen Goldsworthy's zelf opgelegde beperkingen over hoe we ons leven kunnen leiden? Hij heeft zo weinig om mee te werken, en uit die eenvoud ontstaan grote schoonheid en vrede. Het leven van de meeste mensen is gevuld met te veel spullen. Wat heb je echt nodig in je leven? Wat kun je wel missen? Mensen zien beperking als iets waardoor ze iets moeten opgeven in plaats van iets waardoor ze iets extra's krijgen. Maar als je je Xbox weggeeft, krijg je alle uren terug die het ding voorheen uit je leven zoog. Omarm beperking. Wat je ervoor terugkrijgt, is de ambachtelijke kunst van het vormgeven van je eigen leven, van het wegschoffelen van wat niet noodzakelijk is.

—

De beperking van de hackathon van twee weken heeft geleid tot de creatie van Twitter. En vanaf dag 1 is de lengte van een tweet altijd begrensd geweest, hoewel eerst niet tot 140 karakters.

Toen we begonnen, wisten we dat de internationale standaardlimiet van tekstberichten 160 karakters was. Die gold voor alle aanbieders overal – het had te maken met bandbreedtebeperkingen of iets anders technisch in die sfeer. De enige reden waarom mensen het tegenwoordig niet meer over de limiet van 160 karakters hebben, is dat de aanbieders nu gewoon twee teksten aan elkaar plakken als ze over de grens heen gaan.

We wilden dat Twitter op alle apparaten kon werken, zodat je op elk knullig mobieltje probleemloos een tweet zou kunnen maken en zien. Dat betekende dat we de limiet van 160 karakters moesten gebruiken die al voor tekst bestond. In het begin gaven we gebruikers de volle 160 karakters, maar in die ruimte zetten we al automatisch een spatie, een dubbele punt en de gebruikersnaam. Dan hield je de rest over.

Op een dag bracht ik naar voren: 'Wacht eens even, Jack. Eigenlijk is het niet eerlijk. Sommige mensen krijgen meer ruimte voor hun tweet dan andere, afhankelijk van de lengte van hun naam.'

'Goed punt,' zei Jack. 'Dan moeten we ons eigen gedeelte

standaardiseren.' We besloten dat vijftien karakters ongeveer de juiste hoeveelheid ruimte voor een gebruikersnaam was. En dan gaven we de mensen in plaats van de resterende 145 karakters er 140. We kozen maar wat. Er zat geen numerologische magie achter. Het maximum had net zo goed 145 kunnen zijn. Het was gewoon makkelijker om er 140 van te maken. De volgende dag stuurde Jack een e-mail om iedereen te laten weten dat we 140 als standaard hadden genomen.

De begrenzing van 140 was vanaf het begin een toevallig tot stand gekomen pr-stunt. Het was een groot raadsel. Waarom 140? Was het het aantal karakters waarbij mensen het creatiefst zijn? Journalisten deden er altijd grappig over: 'Ik vind het zo spannend om jullie te interviewen. Straks moet ik nog over de 140 karakters heen.' Het nieuwe ervan zorgde voor een goede binnenkomer, maar onze antwoorden op de vraag waren waarschijnlijk interessanter dan de journalisten hadden verwacht. We hadden het over eenvoud, beperking, universele toegankelijkheid en onze wens om apparaatonafhankelijk te zijn. Het bleek een goeie zet.

Los van de praktische redenen denk ik dat de begrensde lengte van een tweet heeft bijgedragen aan het succes van Twitter. Vanaf het begin was de karakterlengte een van de kenmerken van Twitter waar mensen het meest een hekel aan hadden, waar ze het dolst op waren en waarover het vaakst gesproken werd. In de eerste zes maanden zagen we de komst van Twitter-haiku's en iets wat mensen 'twooshes' noemden, tweets van precies 140 karakters. De beperking werkte inspirerend. Het gaf Twitter iets poëtisch en een consequent doorgevoerd ritme. En alsof dat al niet zelfbeperkend genoeg was, gingen we in 2006 een partnerschap met *Smith Magazine* aan voor de lancering op Twitter van hun project Six-Word Memoir:

Karakter met karakter houdt karakters beperkt.
– Biz Stone

Honderdveertig is geen magisch getal. Maar het opleggen van een limiet heeft mensen bij elkaar gebracht. Het was een uitdaging. Je schrijft het verhaal van je leven. Je redigeert het al doende. Wat is de moeite waard om in 140 karakters te zeggen? Hoe kunnen we onszelf in deze ruimte voor elkaar uitdrukken? Hoeveel kan er worden gezegd en hoeveel blijft dan ongezegd? Twitter was niet bedoeld voor schotschriften of monologen, dus waar gáát het over? Wat is de moeite waard om te zeggen? Wat hebben we niet nodig? Die prikkel heeft raadselmakers en dichters van ons allemaal gemaakt.

5

DE MENS LEERT ZICH IN EEN ZWERM TE BEWEGEN

In maart 2007 was ik voor de vijfde keer bij het festival South by Southwest Interactive (sxswi) in Austin. Destijds was sxsw vooral bekend vanwege de onderdelen film en muziek. Interactive, waarin ik voornamelijk geïnteresseerd was, bestond alleen maar uit een stelletje nerds die niet op hun plaats leken naast de in leren jasjes gehulde muzikanten die zich bij elke hotelreceptie stonden in te schrijven. Je kon niet bepaald zeggen dat wij de coole jongens waren.

Toch gingen heel veel sulletjes uit San Francisco en omgeving naar sxsw om te kijken wat er voor nieuws was en om soortgenoten te ontmoeten. Overdag waren er lezingen en discussies, maar belangrijker was wat er 's avonds gebeurde. Er was altijd wel een start-up die een feestje gaf. Het was een bizar fenomeen dat je 2500 kilometer moest reizen om iets te kunnen drinken met iemand die op kantoor zat bij jou verderop in de wijk, maar deze feestjes waren een geweldige gelegenheid om in contact te komen met mensen uit het vakgebied die je in en om San Francisco nooit zag omdat iedereen continu aan het werk was.

Dat voorjaar waren er volop mensen die zeiden dat Twitter stom en nutteloos was. Wat had je nou aan software waarmee je de details van je dagelijks leven wereldkundig kunt maken? Maar tegen die tijd hadden we al ongeveer 45.000 mensen die zich hadden aangemeld voor Twitter en het ook gebruikten. De meeste mensen die op Twitter actief waren, behoorden tot de 'early adopters', diezelfde nerds uit San Francisco en omgeving die het heerlijk vinden om nieuwe technologie uit te proberen alleen maar omdat het nieuw is.

Bij Blogger gaven we altijd een feestje op sxsw. Maar Twitter was daar nog niet bekend genoeg voor. Toen we nadachten over wat we rondom onze aanwezigheid konden doen, kwam Evan met het idee om displays in de gangen te zetten in plaats van in de congresruimte. Briljant bedacht. Van oudsher hebben bedrijven een kraam in een reusachtige congreszaal, maar we wisten uit vroegere ervaringen dat het grootste deel van de dag de festivalactiviteiten plaatsvonden in de gangen tussen de ruimten waar de lezingen werden gegeven. De mensen kwamen daar samen om wat te kletsen over lezingen waar ze bij waren geweest, producten die ze hadden gezien, evenementen waar hun vrienden naartoe waren, en waar die avond het feestje was. Ze zaten daar op de grond met hun rug tegen de muur en hun laptop op schoot om hun mail te beantwoorden en contact met hun werk te houden.

We besloten dat we een stel grote flatscreenmonitoren in de gangen zouden neerzetten. We moesten een Twitter-visualisering bouwen, waarop de aanwezigen hun sxsw-tweets rechtstreeks konden zien verschijnen.

Niemand had ooit nog displays in de *gangen* van sxsw gezet. We gingen met de festivalorganisatie in gesprek en onderhandelden over het gebruik van die gangen. We hadden echt nog nooit ook maar een stuiver betaald voor de marketing van Twitter, en dit zou ons tienduizend dollar kosten – veel geld voor ons in die tijd –, maar we besloten dat het voor dit idee de moeite waard was te dokken.

Voordat we aankwamen, ontwierp ik een *visualiser* die 'Twitters' liet zien – zoals we tweets toen nog noemden – die door de wolken zweefden alsof ze vogels waren. We wilden dat alle tweets die de aanwezigen zagen over sxsw zouden gaan, maar dit was voordat er hashtags waren. Dus maakten we een speciale functie. Door 'joinsxsw' te sms'en naar 40404 meldde je je automatisch aan als lid van een groep mensen van wie de tweets op de schermen zouden verschijnen.

Om het wat interessanter te maken nodigden we twaalf topnerds, allemaal goede Twittergebruikers, uit om het goede voorbeeld te geven – het waren mensen zoals Robert Scoble, wiens blog *Scobleizer* bij onze doelgroep enorm populair was. Als je tot de sxsw-groep toetrad, volgde je automatisch deze ideale Twitterambassadeurs. We hoopten dat als zíj Twitter op het festival gingen gebruiken, andere mensen in de gang die twitters op de schermen zouden opmerken en ze zouden willen volgen, waarna ze hun eigen berichten in de gangen op de schermen zouden zien verschijnen en iedereen ze kon lezen.

De avond vóór de opening van het congres moesten Jack en ik de flatscreens neerzetten. Onze eigen laptops hadden we zo ingericht dat ze de visualiser konden starten, en we moesten uitzoeken hoe we ze met de schermen moesten verbinden zodat het beeld van de laptops te zien was op de grote plasmamonitoren die strategisch overal in de gang waren neergezet. Ze stonden op grote, verplaatsbare audiovisuele onderstellen. Het is een gênante bekentenis voor een grote hightechbaas, maar als het over hardware gaat, zelfs zoiets simpels als audiovisuele apparatuur, ben ik helemaal niets waard. Deze taak was dus veel moeilijker dan hij had moeten zijn. *Moeten we 'Input 2' of 'Input 3' hebben? Hoe krijgen we het beeld schermvullend?* De resolutie klopte niet. Ook verschenen onze tweets niet.

Het was drie uur 's nachts en we waren nog steeds bezig met die displays, en we hadden ook niet gegeten. Ik had één armetierige Odwallareep bij me – zo'n grove groene met Superfood-smaak. Jack en ik aten hem samen op.

Eindelijk hadden we het probleem opgelost. Onze Twitterfeed werkte ten slotte op het eerste van de acht plasmaschermen, en we wisten wat we moesten doen om hem ook draaiend te krijgen op de andere. We besloten de volgende morgen vroeg terug te komen om de zaak verder in orde te maken.

De volgende morgen, na vier uur slaap, kwamen Jack en ik vroeg en met frisse moed de gang weer in waggelen, klaar om het werk af te maken voordat de eerste festivalgangers zouden binnenkomen. Er was slechts één probleem. Twitter lag plat. Het verhaal van ons leven.

Twitter had grote problemen. In die begintijd crashten we zo voortdurend dat het een grap werd hoe vaak dat gebeurde. Er was zelfs een website voor het probleem: IsTwitterDown.com.

Wat het probleem deze keer ook mocht zijn, er was slechts één persoon op de hele aarde die hier iets aan kon doen: een technicus van ons die weigerde een mobiele telefoon bij zich te hebben. En hij had ook geen vaste telefoon. Zonder hem konden we geen kant uit.

Daar stonden we, uitgeput, aan het eind van ons Latijn, midden in een gang van het congrescentrum. Er waren plakkaten aan de muren met 'Sms "joinsxsw" naar 40404' erop. Er begonnen al mensen binnen te komen voor de eerste sessies van die dag. We probeerden zeven flatscreenverbindingen te configureren, voor de neus van iedereen op onze knieën gezeten achter de onderstellen en morrelend aan de snoeren. Ik droeg het eerste shirt dat ik voor Twitter had ontworpen. Toen we Twitter op de markt brachten, stond er op de homepage de vraag 'Wat ben je aan het doen?', en dus stond er op mijn bedrijfs-T-shirt: 'M'n Twittershirt dragen'.

Onze technicus lag in een zalige, telefoonloze sluimering helemaal in San Francisco, ik droeg mijn 'M'n Twittershirt dragen'-shirt en we zagen eruit als een stelletje idioten.

Eindelijk, na een paar zenuwslopende uren, waren we in de lucht. De displays waren precies wat we hadden bedacht. De visualiser was het eerste wat je opmerkte als je de gang binnenkwam. Je kon tweeten, even wachten, en dan zag je wat je had geschreven over alle schermen zweven tegen de achtergrond van voortdrijvende wolken. De mensen bij SXSW leken het te 'snappen'.

We hadden bereikt waarvoor we waren gekomen. Onze tienduizend marketingdollars waren goed besteed. We hadden met blij gemoed kunnen vertrekken, maar er zou nog meer komen. Op de tweede dag zat ik bij een lezing over iets technologisch. De zaal zat stampvol en ik zat achterin. Toen ik rondom me een blik wierp op de opengeklapte laptops van mijn medetoehoorders, viel me iets op. Iedereen had twitter.com openstaan. Ze gebruikten allemaal onze website! Wow! De flatscreens en de bekende twitteraars hadden het voor elkaar gekregen:

Twitter was aangeslagen. Dit was het eerste teken dat we misschien iets in onze handen hadden. Dat was al helemaal geweldig.

Vervolgens, niet lang nadat de lezing was begonnen, stonden er ineens mensen op en verlieten de zaal. Het was net of er was omgeroepen dat ze dat moesten doen. Maar dat was niet zo. Ik keek op mijn horloge. We hadden nog drie kwartier te gaan. Waarom ging iedereen weg? Had ik iets gemist? Het was heel vreemd.

Later ontdekte ik pas waarom ze allemaal weggingen: het was vanwege... Twitter. Er was niets omgeroepen, maar er was een tweet geweest. Iemand had getweet dat de lezing aan de overkant geweldig goed was. Die tweet werd heel gauw beaamd door verschillende andere bezoekers, in de vorm van wat later officieel een 'retweet' genoemd zou worden. De informatie over de betere lezing verspreidde zich zo snel naar de mobiele telefoons en laptops dat de mensen allemaal bijna precies op hetzelfde moment besloten naar die andere lezing te gaan.

Toen ik dat verhaal hoorde, stond ik versteld. Maar het volgende verhaal zorgde er pas echt voor dat ik de rillingen over mijn rug kreeg.

Die avond waren er verschillende feestjes en een heleboel volgepakte cafés. Eén persoon in een bijzonder volle bar wilde horen waar zijn vrienden en collega's aan werkten, maar er was te veel herrie om hem heen. Dus stuurde die man een tweet naar zijn volgers dat ze, als ze een rustiger gesprek wilden voeren, hem moesten opzoeken in een ander café, waarvan hij wist dat het er niet druk zou zijn. Hij noemde dat café in zijn tweet.

In de acht minuten die hij nodig had om naar dat café te lopen, hadden honderden andere mensen dat ook gedaan, vanuit cafés dichterbij. Toen hij aankwam, zat de tent vol en stond er een lange rij buiten te wachten om naar binnen te kunnen. Zijn plan had averechts gewerkt.

Wat was er gebeurd? Nadat hij zijn tweet had verstuurd, hadden zijn volgers het een goed idee gevonden en het naar hun volgers geretweet, en zo verder. Het gevolg was een sneeuwbaleffect: een onmiddellijke zwerm mensen, die in een ongelooflijk korte tijd neerstreek in dit nietsvermoedende café.

Toen ik dat verhaal hoorde, moest ik denken aan een vlucht vogels die rond een object zoals een lantaarnpaal of een scheepsmast vliegen. Als vogels op een obstakel stuiten, lijkt het wel of ze een paar seconden lang één organisme worden. Een vlucht vogels die als één lichaam rond een obstakel vliegt, ziet er ongelooflijk geperfectioneerd uit, bijna gechoreografeerd. Maar dat is niet zo. Het mechanisme van zich in een groep voortbewegen is heel eenvoudig. Elke vogel kijkt naar de schouder van zijn buurvogel en volgt dat plekje simpelweg. Twitter bracht hetzelfde effect tot stand. Simpele communicatie, zonder dat er tijd tussen zat, had ervoor gezorgd dat al die mensen ineens gedurende een paar seconden één werden. En vervolgens werden ze in net zo weinig tijd weer individuen.

De mensen die naar sxsw gingen, waren van het type dat Twitter actief gebruikte. Dit congres had dus een ongewoon hoge verzadigingsgraad van gebruikers voor een zo vroeg stadium in de levenscyclus van een product. Dit was de eerste keer dat we Twitter 'in het wild' hadden kunnen meemaken. Tot dat moment had alleen nog maar een stel vrienden van ons er wat mee zitten spelen. Deze twee verhalen, de kolossale uittocht uit de zaal van de lezing en het als een zwerm neerdalen op het café zetten een schakelaar in mijn hoofd om en veranderden voor altijd mijn beeld van het potentieel van Twitter. Nu zag ik hoe onbekende mensen Twitter gebruikten, en die ervaring vormde een keerpunt.

Een zwerm vormen, samenscholen en een fenomeen dat 'emergentie' heet (dat een heleboel dieren met elkaar één 'superorganisme' lijken te worden dat veel slimmer is en tot veel meer in staat dan elk dier afzonderlijk) komen in de natuur veel voor. Je ziet deze vorm van groepsdenken bij vogels, vissen, bacteriën en insecten. Maar als je ooit hebt geprobeerd over een heel druk treinperron te lopen of filmbeelden hebt gezien van Woodstock of een politiek debat op tv hebt bekeken, dan weet je dat de menselijke soort van nature geen zwerm vormt. En nu maakte Twitter, als nieuwe vorm van communicatie, voor de eerste keer zwermvorming bij de méns mogelijk. Twitter bood mensen een totaal nieuwe manier om met elkaar in verbinding te komen. Het voorbeeld die avond was alleen maar een stel mensen die besloten naar een andere feestlocatie te verkassen, maar wat was er gebeurd als het iets belangrijkers was geweest? Wat was er gebeurd als er een ramp was geweest? Wat was er gebeurd als er echt iets aan de hand was geweest?

Al dat soort gedachten raasden door mijn hoofd toen ik het verhaal over de spontane kroegentocht hoorde. Twitter was groter dan we beseft hadden. Met al onze gebreken en kwetsbaarheden werkte ons kleine team aan iets waarvan de wereld niet wist dat ze het nodig had totdat het er was. We hadden een andere vorm van communicatie uitgevonden, een vorm waarvan we het potentieel nu nog maar net begonnen te ontdekken. Als Twitter een triomf moest worden, zou het niet een triomf van de technologie zijn – het zou een triomf van de mensheid zijn. Nog nooit eerder had ik in die termen over technologie, of zakendoen in het algemeen, nagedacht. Succes, zag ik ineens, komt voort uit hoe mensen de aangereikte werktuigen gebruiken.

We waren in de wolken, zogezegd, toen we tegen het einde van het congres. gingen kijken naar de uitreiking van de sxsw Interactive Awards, het moment dat verschillende bedrijven zouden worden genoemd als Beste van het Congres, Publieksprijs, Doorbraak Trend en allerlei andere van dat soort categorieën. Evan, Jack en ik stonden in de rij voor de prijsuitreiking toen er ineens een gedachte bij me opkwam. 'Wacht eens even,' zei ik. 'Stel dat *wíj* een prijs winnen.'

Jarenlang had ik bij de prijsuitreiking anoniem in het publiek gezeten, maar de afgelopen paar dagen was Twitter het mooiste meisje van het feest geweest. Er waren geen nominaties voor deze prijzen. Er kon van alles gebeuren.

'Als we iets winnen, moeten we iets zeggen,' zei ik.

Ev zei: 'Ja, dat klopt. We moeten een speech voorbereiden voor het geval we iets winnen. Jack moet dan spreken. Jij moet die speech schrijven.'

Een speech schrijven? We stonden letterlijk op de drempel van de prijsuitreiking. Dat was nu onmogelijk.

Ik dacht bij mezelf: Ik kan nu geen echt goeie speech meer schrijven. Wat kan ik in de volgende drie minuten verzinnen dat een beetje intelligent overkomt?

Hoe onwaarschijnlijk het ook mag klinken, ik had een dergelijke situatie al eens eerder meegemaakt. In mijn eindexamenjaar had ik les in geesteswetenschappen. De lessen waren georganiseerd rond een project van een heel schooljaar: een flink werkstuk over een onderwerp dat we zelf mochten kiezen. Ik zal er later meer over zeggen, maar ik had als algemeen beleid dat ik geen huiswerk maakte. Er moest echter wel een werkstuk van enig formaat komen. Het hele cijfer zou worden gebaseerd op dit ene project, dat aan het eind van het jaar af moest zijn. Dat was voor mij een vreselijke opzet: ik was een enorme uitsteller.

Op de dag dat het werkstuk moest worden ingeleverd, na een jaar alleen maar theoretisch bezig te zijn geweest, had ik absoluut niets om in te leveren. *Nada*. Maar ik wilde geen onvoldoende!

Ik ging naar de les, en terwijl iedereen zijn werkstuk inleverde, zei ik tegen de docent: 'Ik heb het mijne thuis op mijn bureau laten liggen. Ik kan het nu gaan halen of het morgen meebrengen.'

Zij zei: 'Je hebt een heel jaar de tijd gehad. Als je het morgen meebrengt, geef ik je twee hele punten minder.' Een werkstuk van een 8 zou een werkstuk van een 6 worden.

Als ik mijn werkstuk had gemaakt, zou ik zeker naar huis zijn gehold om het te halen. Maar nu had ik niets te verliezen. Ik zei: 'Oké, als u dat eerlijk vindt. Dan neem ik het morgen wel mee.'

Zoals ik al heb gezegd, brengt beperking creativiteit voort. Die avond dacht ik heel hard na over wat ik in een uur kon doen terwijl het eruitzag alsof ik er een jaar mee bezig was geweest. Iets wat eigenlijk niets voorstelde, maar eruitzag alsof er geweldig veel tijd en inspanning aan was besteed.

Aha! Ik had het. Een toneelstuk! Toneelstukken bestaan uit dialoog, de belichaming van lichtgewicht schrijven. Met excuses aan Tsjechov et al.

Die avond schreef ik een toneelstuk over twee mannen van

middelbare leeftijd die een spelletje basketbal deden dat 'Around the World' heet. Around the World werkt als volgt: de spelers doen een serie schoten vanaf een rij punten op een halve cirkel op het veld. Als de bal in is, ga je door naar het volgende punt. Als je mist, moet je kiezen. Je kunt blijven staan of je kiest de kans om nog een keer te schieten. Als je besluit dat bonusschot te nemen, ga je verder, maar als je weer mist, moet je helemaal terug naar af.

Deze twee al wat oudere mannen waren destijds op de middelbare school vrienden. Nu is de ene CEO van World Wide Industries, Inc. Hij is rijk en succesvol. De andere man heeft een uitzichtloos baantje, huisschilder of zoiets. Ze kletsen wat, praten over de kinderen, maar vooral halen ze herinneringen op uit hun middelbareschooltijd (wat voor mij als leerling van de eindexamenklas viel in de categorie 'schrijf over iets waar je iets vanaf weet').

Terwijl ze praatten en speelden, nam de man met de succesbaan steeds het riskante bonusschot en ging voortdurend verder het veld rond. Hij was aan de winnende hand. De man die geen succes in zijn werk had, kwam niet veel verder. Als hij een bal miste, nam hij niet het risico van de bonusronde. Aan het einde van het spel had de rijke man gewonnen. Hij zei: 'Nog een keer?' Dat was het eind van het toneelstuk.

De onderliggende boodschap was overduidelijk dat risico nemen succes voortbrengt. In die jaren was ik de filosofieën al aan het vormen waar ik later in het leven de vruchten van zou plukken. Het was heel erg een ondernemersmentaliteit – alleen wist ik dat destijds nog niet.

Ik leverde mijn toneelstuk de volgende dag in. Ik zou een 8 hebben gekregen, maar omdat ik te laat was, kreeg ik een 6. Wat mijn cijfer had gered, was dat ik het juiste idee had gehad. (In dit geval werd de ernstige tijdsbeperking natuurlijk door mijn eigen luie houding veroorzaakt, maar soms, ik zei het al, kan een beperking een motiverende kracht zijn.)

Wat ik nu nodig had, was het juiste idee voor Jacks eventuele dankwoord, en dat kwam rechtstreeks uit de creativiteit van de beperking.

'Ik heb het,' riep ik. 'Kijk, dit gaan we doen...'

Het leken slechts een paar momenten totdat Jack, Ev, onze goede vriend Jason Goldman en ik op het podium stonden om een SXSWi Web Award in ontvangst te nemen. Jack liep naar de microfoon om de prijs in ontvangst te nemen. Hij zei: 'We willen u graag bedanken in maximaal 140 karakters. En dat hebben we net gedaan!'

Het was een speech van eenennegentig karakters, en we schreven er geschiedenis mee – in elk geval in ons eigen hoofd.

Ons team heeft veel verschillende aspecten van werk, inspiratie, passie en creativiteit in Twitter gelegd, maar wat ik op SXSW zag, was groter dan de som van die delen. Zodra mensen op Twitter konden, wisten ze intuïtief hoe ze het moesten gebruiken, en als groep waren ze voor ons een gids. Vanaf nu hoefden we alleen nog maar naar hen te luisteren, en een service te bouwen en te onderhouden die in overeenstemming was met hun intuïtieve manier van doen. Het was inspirerend – en het was nederig stemmend.

In de volgende jaren zouden er verhalen van Twittergebruikers komen die die op SXSW vele malen overtroffen, maar ik zal altijd aan maart 2007 denken als een belangrijk keerpunt voor Twitter en mijn dromen van wat Twitter zou kunnen betekenen.

Na onze terugkomst van SXSW richtten Evan, Jack en ik Twitter, Inc. op.

Evan en ik gingen lunchen met onze vriend van Blogger, Jason Goldman, die net bij Twitter was komen werken of op het punt stond dat te doen. Evan wilde er even tussenuit. Hij had geen vakantie gehad sinds hij met Blogger was begonnen en daarna Odeo en nu Twitter. Wat hij echt wilde, was een jaar in een skigebied werken. Maar vóór zijn vertrek wilde hij ervoor zorgen dat de leiding over Twitter goed was geregeld, zodat hij met een gerust hart weg kon.

Bij die lunch aten we vegetarische hamburgers en praatten we over wie de CEO moest worden.

Evan zei: 'Volgens mij kan ik het best de interim-CEO zijn.' Dat klonk logisch. Hij was de oprichter die er het meeste geld in had gestoken, en hij was onze baas geweest bij Odeo. Het was dus een voor de hand liggende aanname.

Maar toch zei ik: 'Als je niet echt de CEO wilt zijn, moet je niet de interim-CEO worden. Daar heeft niemand iets aan. Waarom hakken we de knoop niet door? Laten we Jack CEO maken, de echte CEO, niet die interim-flauwekul.'

Goldman was het er niet mee eens. Hij vond dat Ev de CEO moest zijn. Maar Evan wilde op dat moment niet echt.

Ik was voorstander van Jack. Jack en ik hadden samen aan het prototype van Twitter gewerkt. Het was ons product. Een deel van de tijd hadden we Noah Glass erbij gehad en die had het werk van mij overgenomen. Maar na een tijdje met Noah gewerkt te hebben, had Jack gedreigd op te stappen. Dus had Ev Noah ontslagen en mij weer aan Jack gekoppeld. Ik had nooit overwogen de rol van CEO op me te nemen. Ik had mezelf altijd gezien als een ondersteunende kracht. Mijn grootste talent was mensen helpen.

Ik zei: 'Jack is degene die het meeste programmeerwerk doet.

Ik doe al het ontwerpwerk. Wij zijn de oprichters.'

Jason zei: 'Denk je dat hij het kan?'

Ik zei: 'We hebben het niet over General Motors. We zijn met z'n zevenen.' Alles wat CEO-zijn op dat moment inhield, was de optieformulieren van medewerkers aftekenen, enig leiderschap bieden door het goede voorbeeld te zijn en ervoor zorgen dat het werk werd gedaan.

Hoewel Goldman het een vergissing vond, zei Evan: 'Oké, je hebt gelijk. Vraag Jack maar wat hij ervan vindt.'

Terug op kantoor ging ik naar Jack. 'Hé Jack, ik heb Ev gezegd dat jij de CEO moet worden.'

Jack draaide in zijn stoel naar me om. 'Ik?'

Ik zei: 'Ja, het was óf Evan als interim-CEO, óf jij als de echte CEO.'

Jack was verrast. Hij wist eerst niet of hij het wel wilde. Hij wilde er een nachtje over slapen.

De volgende dag kwam hij binnen en zei: 'Klinkt geweldig. Ik doe het.'

We haalden het bedrijf formeel onder de paraplu van Obvious vandaan en Jack werd CEO. Ik was creatief directeur. Enige tijd later zei Ev: 'Oké jongens, veel plezier', en hij vertrok, maar hij was nog steeds de grootste aandeelhouder van het bedrijf en hij zat in de raad van bestuur.

In maart, vóór onze lancering op SXSW, hadden we zeven medewerkers en 45.000 geregistreerde gebruikers. Tegen het eind van het jaar, krap negen maanden later, hadden we zestien medewerkers en 685.000 geregistreerde gebruikers. In die tijd was 685.000 gebruikers heel veel, zeker als je bedenkt hoeveel jaar het Blogger had gekost om op een miljoen te komen. Tegenwoordig, in de wereld van newsfeeds die allemaal onderling met elkaar verbonden zijn, kan een app een miljoen gebruikers krijgen in een week tijd. Maar destijds moest je langzaam omhoog klauteren, letterlijk vertrouwend op de aloude mond-tot-mondreclame.

—

Op sxsw en in de adembenemende nasleep daarvan had ik van Twitter geleerd dat het gedrag van de mens zich oneindig kan ontwikkelen. De technologie van Twitter heeft mensen niet geleerd hoe ze zich als een zwerm moeten bewegen. Die technologie heeft ons latente vermogen om dat te doen naar voren gehaald. Ongelooflijk! Het fenomeen was meer dan een door technologie veroorzaakte kuddementaliteit. Wij allemaal, alle vogels afzonderlijk, pasten ons opnieuw aan aan de vogels die in de buurt vlogen en aan hoe dichtbij de andere vogels waren. We ervoeren allemaal een beeld van onze plaats in de wereld, direct en midden in de vlucht.

6

NOG LANG EN GELUKKIG

In het voorjaar van 2007, na South by Southwest in Austin, had ik eindelijk het gevoel dat de risico's die ik had genomen de moeite waard waren geweest. Twitter ging het maken. Ik voelde me er erg bij betrokken, en het leek erop dat Livy en ik wel een tijdje in ons kleine huisje in Berkeley zouden blijven wonen. Ineens drong het tot me door dat zij en ik al tien jaar bij elkaar waren.

Het had even geduurd voordat ik een project had gevonden waar ik helemaal tevreden mee was, maar al die tijd was er één emotionele investering die ik had gedaan waar ik nooit mijn twijfels over had gehad: Livia.

In de tijd dat ik met Steve Snider werkte bij Little, Brown, had ik geen relatie. Ik was daar helemaal niet mee bezig. Ik had alleen maar belangstelling voor werk. Ik maakte vaak lange wandelingen en dacht dan na over van alles. Volgens mij had ik het memo over de liefde gemist. Ik had mijn talenten, maar ik kon ook een volslagen imbeciel zijn. Op een dag stopten Steve Snider en ik even bij een restaurantje op weg naar ons werk. We keken allebei op de menukaart, en toen de ober naar ons tafeltje kwam, bestelde ik 'twee eieren naar keuze bereid'. De ober moest lachen, Steve moest lachen, en ik zat me maar af te vragen wat iedereen zo grappig vond.

Hoe dan ook, mijn vrienden begonnen steeds vaker tegen me te zeggen: 'Je moet eens met een meisje uitgaan, joh. Je bent negentien. Je moet een vriendinnetje hebben.' Zelfs Steve Snider zei weleens: 'Je bent een jonge, goed uitziende knul. Je moet eens met iemand afspreken.'

Iedereen zat me er maar over aan mijn kop te zeuren. 'Oké,' zei ik tegen hen, 'ik zal proberen een meisje te vinden. De volgende keer dat ik een leuk meisje zie, vraag ik haar mee uit.'

Niet lang daarna ging ik met Steve en zijn gezin uit eten in een restaurant dat Paparazzi heette. (Een grandioze naam voor je restaurant als je ervoor wilt zorgen dat niemand die ook maar een klein beetje beroemd is daar nooit naartoe zal gaan.) De volgende dag zei Steve op het werk: 'De serveerster in dat restaurant zag er leuk uit. Waarom ga je er niet nog eens naartoe en vraag je haar mee uit?'

Dat leek me niet helemaal een fijn plan. Moest ik het restaurant in wandelen en haar gewoon mee uit vragen? Volgens Steve was dat inderdaad het idee.

'Maar het lijkt zo... direct,' zei ik.

'Zo doen mensen dat,' zei Steve.

Dus de volgende dag ging ik rond lunchtijd weer naar Paparazzi. Ik hoopte min of meer dat het meisje er niet zou zijn en ik tegen Steve kon zeggen dat ik het had geprobeerd en het daar maar bij zou laten. Maar toen ik binnenkwam, stond ze daar. Ze had blond haar en zag er aardig uit.

Maar wacht even: ik had geen plan. Ik moest een plan hebben! Ik ging weer naar buiten.

Ik ben gek op films, en in die tijd ging ik bijzonder graag naar een bioscoop die de West Newton Cinema heette. Hij was ouderwets ingericht en er draaide het filmhuisrepertoire. Het leek me wel een goeie locatie om een meisje mee naartoe te nemen. Ik zou haar vragen of ze met me naar de West Newton Cinema wilde. Oké, nu had ik een plan. Ik liep het restaurant weer in.

'Kan ik je helpen?' vroeg ze.

'Ik was hier een paar dagen geleden op een avond met mijn baas en zijn gezin, en je was me opgevallen en... woon je in Newton?'

Ze wierp een argwanende blik in mijn richting. 'Ja,' zei ze. 'Hoe wist je dat ik in Newton woon?'

We waren nu niet in Newton. Eén zin op weg, en ze dacht al dat ik een stalker was. Slecht begin. Heel even overwoog ik weer naar buiten te lopen.

'Eh, ik weet niet waar je woont,' legde ik uit. 'Het was toevallig. Eigenlijk probeer ik je mee uit te vragen naar een film in de West Newton Cinema.'

Ze zei: 'O. Nou ja, ik heb een vriendje.'

Een vriendje! Natuurlijk. Hèhè. Ik had geen moment gedacht dat dit zogenaamde vriendje misschien wel een verzonnen, afspraak mijdend tactisch vriendje was. Ik was te druk bezig met het verwerken van de nuances van deze voor mij onbekende nieuwe wereld.

Ik hoorde haar vriendin achter in de zaal zeggen: 'Ah.' Ah, zoals in *Wat schattig... Die knul dacht echt dat hij iets met je kon beginnen!*

'Oké,' zei ik. 'Tóch bedankt.'

Mijn eerste poging was mislukt, maar in plaats van van streek te zijn, had het me moed gegeven. Kon het niet erger zijn dan dit? Het was wel een beetje vervelend, maar zo erg was het nou ook weer niet. Ik had nu een missie.

Niet lang na die mislukte poging in Paparazzi kwam een jonge vrouw die bij Little, Brown op de kinderboekenredactie werkte Steves kantoor binnen om iets af te geven. Ze droeg een te groot legerjack en haar lange donkere haar zat strak naar achteren. Ze had een melancholieke blik. Ik vond haar meteen aardig.

Ze vroeg Steve iets te tekenen. Dat deed hij, en ze liep het kantoor weer uit.

Ik zei: 'O jee.' Ik wees naar de deuropening en haar verdwijnende legerjack. 'Ik geloof dat ik een probleem heb.'

'Zij?' zei Steve.

'Ja.'

'En het meisje dan dat op de juridische afdeling werkt?' vroeg Steve.

De Photostat-machine die we gebruikten om beeldmateriaal te kopiëren stond in een piepkleine donkere kamer met een draaideur om het licht buiten te houden. De ruimte was zo klein dat er een bord op de deur hing met de woorden: MAXIMAAL ÉÉN PERSOON TEGELIJK. De vrouw over wie Steve sprak, was een paar keer als ik daar aan het werk was na geklopt te hebben binnengekomen. Ze zei iets in de sfeer van 'Het is hier zo vol en donker.'

Ik zei iets in de sfeer van: 'Ja, inderdaad. Moet je weg?' Typisch ik. Volslagen imbeciel.

Maar nu zei ik tegen Steve: 'Wie? Nee, ik denk dat ik háár leuk vind.' Het meisje met het grote legerjack aan.

Dus ik ging stoutmoedig naar beneden naar de kamer van Livia (want zo heette ze) en haar baas. Ik vroeg haar om met me te gaan lunchen, en dat wilde ze wel. Maar – en hier komt het addertje onder het gras – ze wilde ook dat haar baas meeging. Laten we maar zeggen dat ze niet optimistisch was over onze vooruitzichten.

We spraken een tijd af, maar intussen had ik een excuus gevonden om nog een keer naar haar kamer te gaan, zoals mensen met een intra-kantoorverliefdheid nu eenmaal doen. Livia zat niet op haar plaats, maar ik zag dat ze op de computer die ze met haar baas deelde een briefje had geplakt. Er stond op: 'Hé, wanneer vraag je me nu eens een keertje uit, zoals je hebt beloofd?'

Dat was beslist een signaal, en dan niet het juiste. Ze had al haar baas uitgenodigd om met ons mee te gaan lunchen. En nu was ze actief bezig met andere plannen. Ze wilde met iemand uit, alleen niet met mij. Later ontdekte ik dat dat kwam doordat ik op het werk zo zeker van mezelf leek. Ze had gedacht dat ik arrogant en dominant was, en dat klopt ook. Op het gebied van werk was ik heel zeker van mezelf, maar op het gebied van uitgaan blaakte ik absoluut niet van zelfvertrouwen.

En dus gingen we lunchen – een knus, gezellig etentje aan een tafeltje voor drie personen. Tot Livia's verrassing was ik geen zak. Ik zette mijn beste beentje voor. Ik was grappig en charmant en aardig. Ze vond het goed om nog een keer met me uit te gaan – deze keer zonder haar baas. Ik boekte echt vooruitgang.

Weldra gingen Livy en ik echt met elkaar. Ze ging mee toen ik naar New York verhuisde om met Xanga te beginnen, vervolgens heel even naar Los Angeles toen ik dacht dat ik filmregisseur kon worden, en daarna weer terug naar Boston toen ik een boek over bloggen aan een uitgever had verkocht. Toen ik naar de westkust wilde verhuizen voor Google, vond ze dat een geweldige kans en een groot avontuur. Toen ik besloot bij

Google weg te gaan, stond ze achter me, ook al hadden we altijd geldzorgen. Livia begrijpt altijd wat belangrijk voor me is en helpt me door echt ingewikkelde beslissingen heen. Waar we ook naartoe gingen, ze vond daar wel weer een baan bij een uitgeverij of een tijdschrift, totdat ze haar eigen boeken ging schrijven over handvaardigheid, zoals quilts, keramiek en gebrandschilderd glas. Het is een cliché, dat klopt, maar ze heeft altijd aan mijn zijde gestaan en ik had het niet zonder haar kunnen doen.

Ik was dan misschien imbeciel op het gebied van daten en een relatie hebben, maar dat heeft me er niet van weerhouden een poging te doen. Wat was het ergste wat me had kunnen gebeuren? Dat een meisje kon zeggen dat ze al een vriendje had? Dat ze zo weinig interesse had dat ze een chaperon op de afspraak meenam? Zelfs als ik faalde, dan zou ik de volgende keer gewoon een beetje minder imbeciel zijn.

Als het over het nemen van risico's gaat, dekken zoveel mensen zich in. Het is heel natuurlijk om een vangnetconstructie op te zetten. Ik ontmoet vaak ondernemers die zeggen dat ze hun werk belangrijk vinden, maar 's avonds lekker zitten te hobbyen met wat ze het liefst doen. Natuurlijk doen ze het op die manier: ze moeten hun gezin onderhouden. Het probleem is dat je niet kunt verwachten dat je het bestcasescenario kunt bereiken als je niet bereid bent het worstcasescenario te accepteren. Als je in je ware roeping het potentieel moet bereiken waarvan je droomt, heb je daar je volledige aandacht bij nodig. Bereidheid om risico's te nemen is de route naar succes.

Gattaca is een sciencefictionfilm over een ietwat dystopische toekomst waarin reproductieve technologie wordt gebruikt door mensen die het zich kunnen veroorloven om genetisch perfecte mensen te kweken. Vincent (Ethan Hawke) en Anton (Loren Dean) zijn broers, maar Vincent is verwekt zonder dat hij was geselecteerd vanwege zijn superieure genetische achtergrond, terwijl Anton genetisch perfect is. Hun hele leven lang is Anton beter dan Vincent in zo ongeveer alles. Er gebeuren allerlei idiote dingen in de film, maar het belangrijkste is een scène waarin Vincent Anton uitdaagt tot een zwemwedstrijdje, een variant op 'bangerik', het spel dat ze vroeger vaak speelden toen ze nog klein waren. Ze zwemmen de zee in, heel ver. De eerste die niet verder durft en omkeert, heeft verloren. Vincent wint. Anton vraagt aan Vincent hoe hij hem heeft kunnen verslaan. Anton is tenslotte veel sterker en genetisch superieur. Vincent legt uit dat hij al zijn kracht heeft gegeven voor het zwemmen de zee in. Hij heeft niets bewaard voor de zwemweg terug. Dat is een openbaring voor Anton. Hij is dan wel de sterkste, maar hij was behoudend. Hij hield wat kracht achter in plaats van voor de volle honderd procent te gaan. Vincent daarentegen was om te kunnen winnen bereid het risico te nemen dat hij zou verdrinken.

We kunnen iets geweldigs leren van Vincents beslissing. Om spectaculair te kunnen slagen, moet je bereid zijn spectaculair te falen. Met andere woorden, je moet bereid zijn te sterven om je doelen te bereiken – figuurlijk gesproken, natuurlijk.

Wat ik wil zeggen is dat je het voordeel van geweldig, heroïsch, episch, wereldschokkend, het leven volkomen veranderend falen, moet omarmen. Het is meer dan de moeite waard als je slaagt. En als je faalt, heb je een prachtig verhaal te vertellen – en ook nog wat ervaring waarmee je een belangrijk voordeel hebt als je er de volgende keer voor gaat. Dat is een goede les voor start-ups in het algemeen en voor alle andere dingen die je echt graag wilt. Het is net alsof er sprake is van een natuurlijke balans. Als je echt heel veel succes wilt hebben, moet je bereid zijn het risico van een heel grote mislukking te nemen.

Het is bekend dat 90 procent van alle tech-start-ups mislukt. Elke ondernemer in elke bedrijfstak is iemand die makkelijk risico's neemt. Zelfs sommige van de bekendste successen hebben perioden gekend waarin het alle kanten op kon gaan of er een mislukking dreigde. Pixar bijvoorbeeld begon grafische en animatietechnologie te ontwikkelen als onderdeel van de computerafdeling van Lucasfilm. Het bedrijf stond nog niet stevig genoeg op eigen benen toen Lucas geld nodig had vanwege zijn echtscheiding en daarom besloot Pixar te dumpen. Hij verkocht het voor 5 miljoen dollar aan Steve Jobs. De animators van Pixar wilden al heel lang computeranimatiefilms maken, maar de kosten voor het maken van dat soort films waren te hoog. Jobs geloofde in hun droom. Twintig jaar later verkocht Jobs Pixar voor 7,4 miljard dollar.

Op de middelbare school koos ik gymnastiek. Ik wilde leren hoe ik een achterwaartse handstand-overslag moest doen. Dat gaat ongeveer als een salto achterover, maar je handen moeten halverwege op de grond komen. Ik keek hoe klasgenoten die handstand-overslag deden en zag wel dat je achterover moet springen en dan op je handen terecht moet komen, maar ik kon maar niet met genoeg kracht springen. Ik schrok steeds terug, draaide me dan om en kwam op mijn zij terecht. Het ging gewoon niet: steeds viel ik.

Mijn leraar zag mijn vergeefse pogingen en zei: 'Ik zal je het geheim van die sprong verklappen. Het geheim is dat het makkelijker is dan het eruitziet. Je hoeft er niet eens zo veel inspanning voor te leveren. Kijk, zo moet het.'

Hij nam me mee naar de mat. 'Ga staan met je armen omhoog en je handpalmen open naar boven gericht.'

Ik stak mijn handen omhoog, boven mijn hoofd.

'Buig nu door alsof je gaat zitten, krom je rug en laat jezelf zo ver vallen dat je niet meer terug kunt. Houd je armen gestrekt boven je hoofd. Als je voelt dat je vingers de grond raken, zet je je met je tenen af. Het gaat erom dat je bereid bent voorbij het controlepunt te vallen. Als je je aan dat risico kunt overleveren, kun je de handstand-overslag met heel weinig inspanning uitvoeren.'

Ik deed precies wat hij had gezegd, en het werkte. Toen ik voorbij het punt was vanwaar geen terugweg meer mogelijk is, ging het verder vanzelf.

Hetzelfde geldt voor het zetten van een grote stap in je leven. Een meisje mee uit vragen, vooral als ze een vijfde wiel meeneemt, betekent dat je gêne en mislukking riskeert. Besluiten ontslag te nemen, vooral als dat betekent dat je waardevolle opties achterlaat, betekent dat je financieel verval en nog meer mislukking riskeert. Maar als het goed gaat, dan is het toch fantastisch? Toen ik met succes de handstand-overslag had gedaan, was ik vol ontzag. Het had allemaal te maken met de bereidheid om te falen, net zoals in *Gattaca*.

Een van de belangrijkste redenen waarom Twitter steeds platlag, was dat het in het begin heel snel was gebouwd, als één groot, chaotisch programma. De software had geen keurig geordende architectuur; het programma zat dus als een kaartenhuis in elkaar. Als één stukje van zijn plaats gleed, stortte de hele structuur in. En elke keer dat we wilden uitzoeken wat er mis was gegaan, moesten we moeizaam door het hele systeem heen ploegen. Na uren forensisch onderzoek vonden we dan het stukje dat niet werkte en moesten we uitzoeken wie dat deel van het programma had geschreven. Als die medewerker toevallig ziek was, hadden we pech. We stelden mensen die Twitter gebruikten teleur en kregen ervanlangs in de pers.

Maar toen, op een dag, zat ik naar een oude aflevering van *Star Trek* te kijken, *Voyager* – 'Demon' – en ineens kreeg ik een idee. Het ruimtestation heeft bijna geen brandstof meer. De kapitein geeft als bevel: '*Grey mode.*' Die code betekent dat alle niet-essentiële systemen worden afgesloten om zo weinig mogelijk energie te gebruiken. In wezen zetten ze dus zichzelf op instandhouding van de levensfuncties.

Alle systemen in de Voyager zijn gecompartimenteerd. Op elk moment kunnen bepaalde delen worden afgesloten, terwijl het schip verder in werking blijft. (Ik wil wel even kwijt dat dit een nogal voor de hand liggende onthulling is.) De manier waarop wij Twitter hadden gebouwd, was niet ideaal, maar het was ook niet volslagen fout. We hadden in onze plannen alleen geen rekening gehouden met het enorme succes dat in steeds grotere golven aan kwam rollen. En dat hadden we ook niet hoeven doen. Je kunt iets beter bouwen en in de wereld zetten dan er jaren over te doen om het perfect in orde te krijgen terwijl je nog niet eens weet of het wel gaat werken.

De volgende dag ging ik vastbesloten naar mijn werk om een nieuwe aanpak voor te stellen voor de fouten in Twitter. Jason Goldman was van Blogger overgekomen om VP productontwikkeling en Evans rechterhand te worden. Ik mazzelde, want Jason was ook een *Star Trek*-fan. (We zijn allebei *Trekkies.*) Ik vroeg hem: 'Kunnen we het zo maken dat we elementen van ons systeem, zoals registratie, berichten en bepaalde serververzoeken, in verschillende gedeelten onderbrengen zodat we, als één stuk instort, alleen dat deel kunnen afsluiten en dat er dan tenminste nog íéts werkt? Dan gaat het systeem niet elke keer dat er iets misgaat helemáál plat. Je ziet dan nog steeds de homepage. Je kunt nog tweeten. Zouden we een "grey mode" kunnen maken?'

Het antwoord was ja. We stelden meteen die week al een rudimentaire versie van gecompartimenteerde functies op. Nu hoefden we niet meer voor elk probleempje het hele systeem in te duiken. *Star Trek*: kleine moeite, groot plezier.

Een van de grootste fouten in Twitter was ons zogeheten platform. In 2007 brachten we ons platform uit, een verzameling API's (*application programming interfaces*) waarmee ontwikkelaars van andere bedrijven van de technologie van Twitter gebruik konden maken. We waren enthousiast over het idee om ontwikkelaars uit te nodigen apps te bouwen die een verbetering of aanvulling van Twitter zouden zijn, maar we hadden er niet goed genoeg over nagedacht.

Onmiddellijk nadat we het platform hadden uitgebracht, schoten er enorm veel nieuwe Twitterapps als paddenstoelen uit de grond. De overvloed aan mogelijkheden vertroebelde de gebruikerservaring. En dat al die apps feitelijk een onbeperkte hoeveelheid requests aan onze server konden aanbieden, betekende een flinke belasting voor Twitter. Dit droeg heel erg bij aan de instabiliteit van Twitter. Het ontwikkelplatform was zwaar, duur en was er vaak de oorzaak van dat Twitter platlag.

Toen Facebook met zijn platform f8 uitkwam, ondervonden ze naar mijn mening ook dit soort problemen. In de eerste zes maanden werden er zevenduizend nieuwe apps gelanceerd, aldus Catherine Rampell van de *Washington Post*. Dat was overweldigend veel, en Facebook moest gas terug nemen, hoogstwaarschijnlijk door langzaam maar zeker regels en beperkingen in te voeren. Tegenwoordig worden de meeste apps op Facebook door Facebook zelf gemaakt.

Door boekomslagen te ontwerpen had ik geleerd dat het perfecte resultaat aan vele criteria voldoet. Het stelt studio, redactie en verkoop tevreden. Zo is het bij een geslaagd softwareplatform ook: dat moet allereerst de consument dienen. Ten tweede moet het de ontwikkelaarsgemeenschap verrijken, zodat zij hun boterham kunnen verdienen met het doen van leuke projecten met gebruik van delen van onze code die we bewust openbaar hebben gemaakt. En ten slotte moet het bijdragen aan meer de algemene waarde van Twitter, zodat dat een beter bedrijf en een betere service wordt. Die doelen hadden bepalend moeten zijn voor wat we op de markt brachten. Maar wat wij deden, was juist dat we de sluisdeuren openzetten. Toen we er daar later weer een paar van moesten sluiten, maakten we een heleboel mensen boos.

We hielden onze ogen niet de hele tijd op de bal gericht. We hadden langzaam kunnen beginnen, met het uitbrengen van bepaalde mogelijkheden voor ontwikkelaars waardoor gebruikers prettig en eenvoudig hadden kunnen ontdekken wie ze wilden volgen terwijl ze dat op een andere manier niet hadden gekund. Maar we waren niet te werk gegaan volgens een weloverwogen, kritische aanpak. De resultaten waren schadelijk voor Twitter, voor onze gebruikers en voor de zelfstandige ontwikkelaars. Sommige mislukkingen zijn geen risico's die niet goed uit zijn gevallen. Dat zijn gewoon simpele fouten. Het enige wat we daaraan kunnen doen, is er eerlijk over zijn en ervan leren.

Na SXSW, toen ik besefte dat Livia en ik al zo lang bij elkaar waren, zei ik: 'Weet je wat? We moesten maar eens gaan trouwen.'

Livy zei: 'Je méént het!'

Kennelijk had ze al een tijdje hints zitten geven. Ze zei dan bijvoorbeeld: 'Kijk, die gaan trouwen. Ze kennen elkaar nog niet half zo lang als wij.' Subtiel, hè? Maar ik was weer eens de typische imbeciel.

Niettemin, aangemoedigd door haar veelbelovende, zij het wat minder diplomatieke reactie, durfde ik de uitdaging aan. Na een lezing die ik op het Ames Research Center van NASA had gegeven, kocht ik een prullige NASA-stemmingsring bij wijze van tijdelijke verlovingsring.

Livia en ik waren oorspronkelijk van plan geweest om in stilte te trouwen. We hadden gewoon geen zin in het gedoe van een trouwerij en hadden een prachtige bed and breakfast ontdekt bij Mendocino (Californië) aan de kust. Maar op de een of andere manier kwamen er enkele tientallen vrienden opdagen als onze 'getuigen', en werd het iets tussen 'in stilte' en 'een eenvoudige trouwerij zonder familie' in. Op die manier ervoeren we de magie van een eenvoudige bruiloft in combinatie met een leven lang teleurgestelde en boze familieleden die zich verraden en in de steek gelaten voelden.

Ondanks dat hadden we in juni 2007 een prachtige dienst in een tuin op een klif boven de Grote Oceaan. De ceremonie was nog geen minuut aan de gang, of mijn vriend Dunstan maakte een polaroidfoto. Dat is mijn favoriete foto van de trouwerij. Ik heb mijn linnen pak aan en gooi mijn hoofd met een enorme glimlach in de nek. Mijn vrouw draagt een avondjurk uit de jaren twintig, maar we kunnen de uitdrukking op haar gezicht niet zien. Ze heeft haar hoofd naar beneden gebogen en houdt haar handen voor haar gezicht.

Terwijl ik eruitzie als de gelukkigste man ter wereld, gaat er van de lichaamstaal van Livia een suggestie uit van een vrouw die zojuist de ergste vergissing in haar leven heeft begaan. Alsof ze in zichzelf zegt: 'Wat heb ik gedaan!' Sommige van de beste dingen in het leven, heb ik haar gerustgesteld, ontstaan uit vergissingen. Nog sterker, Ben Franklin heeft ooit gezegd: 'Misschien is de geschiedenis van de fouten van de mens, alles welbeschouwd, waardevoller en interessanter dan die van de ontdekkingen van de mens.'

Tot op de dag van vandaag zijn mijn vrouw en ik gelukkig getrouwd. Voor zover ik weet.

7

HOERA VOOR DE FAIL WHALE

De eerste jaren na het enorme succes van Twitter op sxsw had de service vaak te kampen met verbindingsproblemen. We crashten. Heel vaak.

Bedrijven mogen graag een imago van perfectie uitdragen. 'Wij staan het hoogst aangeschreven!' 'Wij doen het het best!' 'Wij zijn fantastisch!' 'Je moet ons kiezen!' 'Wij zijn wereldberoemd in Polen!' Dat is normaal. Maar dat is ook een heel veilige, geforceerde route. Stel dat je tóch faalt. Of alleen maar een klein beetje slaagt. Stuur je dan nog steeds alleen maar positieve boodschappen de wereld in? Je wilt je mislukkingen niet wereldkundig maken, maar ze verstoppen is in zekere zin ook misleidend. Dat brengt me op de waarde van kwetsbaarheid. Als je mensen laat weten dat jij net zoals zij bent, gepassioneerd maar niet perfect, krijg je daar goodwill voor terug.

Neem bijvoorbeeld Harrison Ford. (Alweer, maar waarom ook niet? Hij is tenslotte een groot acteur.) Meestal speelt hij de rol van de held. Vanouds zijn helden onverschrokken, sterk en behoorlijk kogelbestendig. Maar Harrison Ford speelt de held anders. Altijd als er iets heel ergs gebeurt en hij close-up in beeld komt, kijkt hij met een bange blik óf hij kijkt alsof hij denkt: O god, ik hoef dat toch niet nu te doen, hè! In *Raiders of the Lost Ark* ziet hij zich geplaatst voor een kuil vol krioelende giftige slangen waar hij beslist doorheen moet, en dan spreekt hij de beroemde woorden: 'Slangen. Waarom moeten het nou weer slangen zijn?' Zonder enig vertoon van lef. De held die hij ons laat zien, is een echte man... en nu zit hij in een slangenkuil. Hij kan zich maar beter zorgen maken over hoe hij hieruit komt, en een beetje snel ook, als hij het er levend van af wil brengen. Als kijker ben je veel meer betrokken bij zijn kans op overleving en succes omdat hij je zijn menselijke kant laat zien.

De afgelopen tien jaar bestaat een groot deel van mijn werk uit het uitleggen aan mensen hoe het komt dat iets het niet doet. Bij Google, toen ik daar in de begintijd voor Blogger werkte, ging het heel vaak mis. Ik nam de verantwoordelijkheid op me om de gebruikers van Blogger uit te leggen wat er mis was gegaan, hoe dat kwam en welke stappen we namen om ervoor te zorgen dat dat specifieke probleem niet nog eens zou voorkomen.

Een keer in 2003, toen Blogger was gecrasht, begon ik uit te zoeken hoe dat was gekomen. Het duurde even, maar toen legde iemand me uit dat het kwam door de elektriciteit. Google was zo enorm dat er een heel grote hoeveelheid elektriciteit nodig was om de datacentra, waar de computersystemen staan en worden onderhouden, draaiende te houden.

Het bleek dat, als Google niet genoeg elektriciteit had, Blogger niet hoog op de prioriteitenlijst stond. En dan werden we dus uitgezet. Ik zeg het nu een beetje simpel, maar zo zat het ongeveer.

Toen ik dat ontdekte, postte ik een stuk op de officiële blog waarin ik uitlegde dat Blogger platging omdat Google zo kolossaal groot was dat we onvoldoende stroom hadden.

Iets op de bedrijfsblog zetten wás nogal wat, maar ik ging daar altijd met een zekere mate van oneerbiedigheid mee om. Een van mijn prestaties waar ik het meest trots op ben, is dat ik, toen Blogger met foto's begon, een foto van mijn kat Brewster als voorbeeld heb gebruikt. Google was een groot, hip bedrijf dat op het punt stond naar de beurs te gaan, en toch kreeg ik het voor elkaar om een kattenfoto op de officiële blog van Google Inc. te zetten. Dat was niet alleen leuk voor mezelf, ik zag het als mijn rol om onze technologie een menselijk (of katachtig) gezicht te geven.

De Brewsterpost passeerde zonder commentaar, maar mijn post over de elektriciteit bracht meer teweeg. *Waar kon Google meer energie vandaan halen?* Wat ik niet wist toen ik het bericht over elektriciteit postte, was dat Google bezig was met een geheim project. Via een derde partij was Google bezig enorme stukken grond te verwerven ten oosten van Portland (Oregon) om daar eigen energiecentrales te bouwen. Investeerders en de media hielden het bedrijf met argusogen in de gaten. Toen mijn post verscheen, trok dat de aandacht van de bloedhonden van internet, en die reconstrueerden op grond daarvan wat Google van plan was. Gelukkig hoefde ik er niet voor bij de hoogste baas op het matje te komen, maar soms heeft het wel consequenties als je heel eerlijk bent.

Desondanks geloof ik in eerlijk-zijn, en ik geloofde dat het uitleggen van fouten aan onze gebruikers de beste manier was om een lange relatie met hen aan te gaan.

—

Ik nam die filosofie mee naar Twitter. In het begin had ik geen groots communicatieplan, alleen maar mijn intuïtie. Ik wilde dat iedereen in het bedrijf wist wat we uitspookten en wat we van plan waren. Ik wilde dat de externe communicatie hetzelfde zou verlopen als de interne, met uitzondering van wat we op grond van juridische beperkingen niet konden bespreken en informatie die niet zo chic was, zoals bepaalde sommen geld die voor de financiering werden binnengehaald. Ik wilde het tegenovergestelde van een pr-afdeling die allerlei fraaie verhalen de wereld in slingert. Er moest een universele waarheid zijn.

Toen werd het pijnlijk duidelijk dat we met de service die we hadden gebouwd niet het snelgroeiende publiek aankonden. Omdat ik mezelf nu eenmaal had gebombardeerd tot degene die de communicatie zou verzorgen als er iets misging, kreeg ik het erg druk.

Ik legde alle problemen uit aan de gebruikers van onze service (aannemende dat de service werkte). Als het systeem crashte, liep ik naar beneden naar de technische jongens om uit te zoeken wat er was gebeurd. Dan meldde ik op de Twitterblog wat ik had ontdekt. Meestal vond ik wel een manier om mijn bevindingen als goed nieuws te presenteren, in de zin van dat we hadden gevonden wat er mis was gegaan en dus konden beloven dat het onwaarschijnlijk was dat dat specifieke probleem zich nog een keer zou voordoen. (Er zou zéker iets anders zijn waardoor het systeem zou crashen, maar waarschijnlijk niet dát.)

Er was niet veel tijd voor nodig om het resultaat van mijn werkwijze te zien. Apple organiseert elk jaar een groot internationaal ontwikkelaarscongres. De eerste gebruikers van Twitter waren ook de mensen die heel graag wilden horen over nieuwe producten en technologieën die Apple misschien zou lanceren, en voorafgaand aan het congres van juni 2007 deden er serieuze geruchten de ronde dat Apple een iPhone zou aankondigen.

De dag vóór het congres legden alle gesprekken over de iPhone een zware last op onze service. Met tussenpozen lag het systeem plat, en wij – en onze gebruikers – begonnen ons zorgen te maken dat Twitter het niet zou uithouden tot de aankondiging van de volgende dag.

Die avond bleven we tot heel laat aan het werk met de problemen. Onze gebruikers kenden ons en ze namen – terecht – aan dat we er heel hard tegenaan zouden gaan om de service te proberen op te lappen voor de volgende dag. Laat die avond werden er een paar pizza's gebracht, en daarna nog een paar. Maar niemand op kantoor had ze besteld. Toen tweette een gebruiker:

Zijn onze pizza's aangekomen?

Nou ja, zeg! We kregen steun van de Twittergemeenschap.

In plaats van dat ze klaagden dat de site weer uit de lucht was, hadden verschillende mensen onafhankelijk van elkaar pizza's naar ons kantoor laten brengen om ons op te beuren en ons in het harde werk te steunen. Ze zagen ons niet als een stelletje anonieme robots die hun alleen maar frustratie bezorgden met onze bugs en storingen. Al onze eerlijkheid had onze menselijkheid naar voren gebracht en leverde ons goodwill op.

Twitter liet het van tijd tot tijd afweten, steeds opnieuw. Ik kon zelf bepalen hoe ik dat intern en met onze gebruikers afhandelde. Ik wilde dat de mensen wisten dat we ons best deden, maar ik wilde niet proberen de problemen te verbergen of ze kleiner te laten lijken dan ze waren. Ik besloot dat we open zouden zijn over onze vele onvolkomenheden.

In een vroege versie van het systeem verscheen er nadat je een bericht had verstuurd een 'successcherm'. Op de meeste websites staat er op een dergelijk scherm: 'Dank je wel. Je boodschap is verstuurd', of iets dergelijks. Op het successcherm van Twitter stond: 'Geweldig, misschien is het gelukt.'

Ik had altijd willen tegemoetkomen aan de gevoelens van degene aan de andere kant van het scherm. Destijds bij Odeo verscheen er als het systeem crashte een dialoogvenster waarin je op OK moest klikken om verder te gaan. Ik vroeg aan Jack of hij een checkbox wilde toevoegen. Dan kon je behalve op OK klikken ook een vinkje zetten naast een regel waar stond: 'Maar ik ben er niet blij mee.'

Om de klap van de fouten van Twitter te verzachten, neusde ik wat op een website met foto's en vond een plaatje van een walvis die werd opgetild door een stel vogels. Perfect! Die zette ik op de foutpagina.

De *Fail Whale*, zoals het dier werd genoemd, bood een vrolijk, positief beeld, en het beeldde ons af als een kleine maar betrokken groep vogels die het – met zijn allen – voor elkaar kregen om het gewicht van een onmogelijk grote walvis te dragen. We waren klein, maar we waren vastbesloten om te slagen.

En dit is nog wel het mooiste. Er was zo veel gedoe over dat Twitter steeds uit de lucht was dat de Fail Whale een hype werd. Er werden fanclubs opgericht. Er kwamen Fail Whalefeestjes. Er was zelfs iemand die een tatoeage van de Fail Whale op zijn enkel liet zetten. Er was een Fail Whale-congres, en ik werd daarvoor gevraagd als de keynote speaker! Mensen die nog nooit van Twitter hadden gehoord, hoorden ineens wel van de klachten. Wat was dat dan wel voor service waar iedereen zo dol op was dat ze niet meer zonder konden? Ik heb geen wetenschappelijk bewijs, maar ik geloof zeker dat door al dat gedoe meer mensen een kijkje op Twitter zijn gaan nemen. Het zou me niet verbazen als de Fail Whale echt heeft bijgedragen aan onze groei.

Onze mislukkingen waren een pluspunt geworden.

Soms kregen we bij Twitter vervelende klaagmails. Vaak stond er dan kort samengevat: 'Jullie klootzakken weten niet waar jullie mee bezig zijn.'

Mijn favoriete manier van reageren op dat soort mail was antwoord geven met eenzelfde hoeveelheid vriendelijkheid: 'Beste Joe, heel hartelijk dank voor je reactie. Ik voel me net zo gefrustreerd als jij als Twitter down gaat. Ik ben heel blij dat je me deze e-mail hebt gestuurd. Hieronder leg ik uit wat de jongens hier aan het doen zijn. Laat het me alsjeblieft weten als het over vier uur nog niet werkt.'

En dan ontving ik altijd een schaapachtig, verontschuldigend berichtje in deze trant: 'Jullie zijn echt geweldig. Ik heb die e-mail alleen geschreven omdat ik jullie echt goed vind.'

Door dat soort mailtjes merkte ik dat de luidste klagers vaak onze grootste fans waren. De enige reden waarom ze de moeite deden om naar ons te mailen, was omdat ze gepassioneerd over ons product waren. Door een persoonlijke en eerlijke reactie terug te sturen liet ik hun weten dat het voor ons ook belangrijk was en dat er echte mensen achter de schermen zaten die hun uiterste best deden om die arme vogeltjes te helpen die walvis van zijn plaats te krijgen. Het loont niet om te doen alsof je kogelbestendig bent. Niemand is zonder fouten, en als je je gedraagt alsof jij dat wél bent, klinkt dat altijd oneerlijk.

We moedigden niet alleen boze mensen aan om naar ons te mailen, maar ik had ook het nummer van mijn mobiele telefoon op de homepage van de site gezet en nam de telefoon ook zelf op als hij ging. Mensen belden me voor algemene hulpdingetjes: ze vroegen bijvoorbeeld hoe ze moesten inloggen, hoe ze een avatar konden veranderen en of ze een andere gebruikersnaam konden kiezen met behoud van hun tweets. Op een zaterdagmorgen om zes uur werd ik wakker omdat mijn telefoon ging. Toen ik me in bed omdraaide om hem op te nemen, hoorde ik de stem van een oude man: 'Ja, in de kerk zeiden ze tegen me dat ik Twitter moet gebruiken.'

Ik zei: 'Oké...'

Hij zei: 'Nou, ik heb de woordpuzzel opgelost.'

Dat begreep ik niet meteen. De vorige dag had ik een idee gehad voor een woordspelletje dat door meerdere mensen tegelijk op Twitter gespeeld kan worden. Ik had het Wordy willen noemen. Je sms't dan 'speel wordy' naar 40404 en dan krijg je zeven letters waarmee je een zo lang mogelijk woord moet vormen. Ik had Evan de vorige dag over het idee verteld, maar hoe kon deze man daar nou vanaf weten?

'U hebt de woordpuzzel opgelost,' herhaalde ik.

'Ja, dus wat moet ik nu doen?' zei hij.

Langzaam werd ik wakker en besefte ik dat hij het erover had dat hij de CAPTCHA had overgetypt, dat vervormde woordbeeld dat je bij het registreren moet overnemen om te laten zien dat je geen programmaatje bent.

Dat we er voor onze gebruikers zijn, houdt in dat we er zijn voor elke afzonderlijke gebruiker met zijn eigen ervaring, dag en nacht. Ik legde de beste man uit hoe hij Twitter moest gebruiken, hoe hij andere mensen kon volgen en hoe hij op de site kon rondkijken.

Mijn contactgegevens stonden op onze homepage totdat de telefoontjes bijna alleen nog maar van journalisten kwamen. Toen nam ik een ander nummer.

Steeds opnieuw, via de foutboodschappen, de blogposts, de Fail Whale en reacties op e-mails van gebruikers, vertelde ik iedereen dat wij ook maar gewoon mensen waren. We wisten zelf dat we fouten maakten. Dat vonden we niet leuk. Maar ik wilde dat wij als bedrijf geloofden in wat ik in *Gattaca* had gezien, wat ik had geleerd toen ik mijn geluk bij Livia beproefde en wat het succes van Twitter mij uiteindelijk zou bewijzen: falen hoort er nu eenmaal bij. Het was het risico waard. Het was zelfs een kritiek bestanddeel van onze groei. Door dat met onze gebruikers te delen, toonden we ons ultieme vertrouwen in onszelf en ons succes. We gooiden het bijltje er niet bij neer en we hoopten dat onze overtuiging voor hen een inspiratie kon zijn.

8

HET LICHTPUNTJE

Elk bedrijf heeft een idealist nodig. In grote lijnen was het in de begintijd van Twitter mijn feitelijke baan als medeoprichter om de stem van het bedrijf zijn. Ik sprak met afzonderlijke gebruikers, groepen gebruikers en medewerkers, schreef wekelijks nieuwsbrieven voor het personeel, leidde vrijdagmiddagbijeenkomsten, postte berichten via de Twitterblog en handhaafde in het algemeen een optimistische, positieve houding over waarom we dit aan het doen waren en waarom het allemaal belangrijk was. Er zat achter deze werkwijze niet een soort masterplan. Het was alleen maar dat ik een beetje communicatief zat te doen.

Niettemin is het niet leuk om te falen. Er waren constant mensen die tegen ons zeiden dat het hele concept van Twitter maar stom was. Zelfs een paar van onze eigen technische mensen hadden hun twijfels. En daar kwam dan nog bij dat Twitter de hele tijd platging. Dat gaf geen goed gevoel. Ik had meegeholpen om Twitter te creëren, ik werkte er elke dag aan, en als er iets misging, had ik het gevoel alsof ik iets slechts had gedaan. Alsof ik me aan een verantwoordelijkheid had onttrokken. Elke keer dat Twitter eruit lag, voelde ik me gefrustreerd en geïrriteerd totdat de boel weer was gerepareerd.

Maar heel vaak wisten we niet wat er mis was gegaan en duurde het uren om Twitter weer werkend en in de lucht te krijgen.

Op een dag werd het me allemaal te veel. Misschien had ik ook wel een vervelende woon-werkrit gehad. Hoe dan ook, toen Twitter die keer weer platging, was dat de druppel die de emmer deed overlopen. Ik stond op, midden in ons akelige kantoor aan South Park, en flapte er iets uit in de trant van: 'Wat een klerezooi allemaal. Waarom kunnen we de boel nou nooit eens goed voor elkaar krijgen?'

Jack Dorsey, die in die periode CEO was, hoorde mijn uitval. Hij zei: 'Hé Biz, ga je even met me mee wandelen?'

We liepen een rondje door South Park en Jack zei: 'Ik heb jou nodig als de man die altijd de positieve houding heeft en mensen het gevoel geeft dat we op de juiste weg zijn, dat we goed werk verrichten en blij zijn.'

Dat was het moment dat ik me realiseerde dat de sfeer in het bedrijf tot mijn belangrijkste verantwoordelijkheden hoorde. Ik had vaak mijn eigen inwendige worstelingen gehad, zoals we allemaal wel hebben, dat ik me zorgen maakte dat ik niet genoeg meehielp of genoeg werk verzette. In het begin deed ik al het gebruikersinterface- en ontwerpwerk zelf, maar in de tijd dat ik die uitbarsting had, hadden we mensen in dienst genomen die daar een deel van voor hun rekening namen. Ik zat niet de hele dag te programmeren, zoals de technische jongens.

En ik was niet de CEO. Droeg ik mijn steentje wel voldoende bij? Waren de dingen die ik deed wel belangrijk? Ik gaf een stem aan Twitter, ik bouwde aan het merk, maar het resultaat van mijn werk kon niet worden uitgedrukt in harde cijfers.

Toen Jack zei dat hij mij nodig had om het moreel in het bedrijf hoog te houden, besefte ik dat mijn positieve houding, hoewel moeilijk te meten, belangrijk was. Ik creëerde niet alleen maar een merk voor de buitenwereld, ik was verantwoordelijk voor de bedrijfscultuur. We zouden nog veel ergere dingen te verduren krijgen, waarbij er veel meer op het spel stond, maar na die dag ben ik nooit meer zo door het lint gegaan. Ik kon altijd het lichtpuntje aan de hemel nog zien.

Steven Johnson spreekt in zijn boek *Where Good Ideas Come From*[I] over hoe goede ideeën zich ordenen uit losse onderdelen die we om ons heen hebben liggen. Als metafoor vertelt hij een verhaal dat speelt in de Indonesische stad Meulaboh. Na de tsunami in de Indische Oceaan in 2004 kreeg het ziekenhuis in Meulaboh acht couveuses om het leven van pasgeboren baby's te redden. Wat een royaal cadeau! Meulaboh zou het nu veel beter gaan doen. Maar vier jaar later, toen Timothy Preston, een hoogleraar aan MIT, nog eens contact opnam om te kijken hoe het ging in het ziekenhuis, ontdekte hij dat geen van de couveuses werkte. In de tussenliggende jaren waren ze stukgegaan, en niemand wist hoe ze moesten worden gerepareerd. De dure, levensreddende technologie was nutteloos.

I In Nederlandse vertaling verschenen als *Briljante ideeën: hoe kom je er op? – Innovatief denken kun je leren,* Meulenhoff, 2011, vert. Richard Kruis.

Timothy Preston vond dit met name interessant omdat hij aan het hoofd stond van een team dat een couveuse ontwierp specifiek voor ontwikkelingslanden. Hij had het idee van Jonathan Rosen gekregen, een arts die had gemerkt dat er ondanks de falende infrastructuur in het land overal een heleboel Toyotatrucks rondreden, en die deden het prima. Dus maakte de organisatie van Preston, Design that Matters, een couveuse, de NeoNurture geheten, die bestond uit auto-onderdelen. Er waren koplampen voor de warmte, en de machine werd aangedreven door een sigarettenaansteker of de accu van een motorfiets. Ik mag graag fantaseren dat Preston, toen hij de nieuwe couveuses in het ziekenhuis ging afleveren, zei: 'Hier zijn een paar couveuses. Als ze stukgaan, bel dan de automonteur.'

Johnson gebruikt dit verhaal om te illustreren hoe innovatie ontstaat uit ideeën die al eerder bestaan, 'in elkaar geflanst met onderdelen die toevallig in de garage lagen'. Maar voor mij betekent het ook net iets anders: het lichtpuntje vinden. Als alles misgaat en stuk is, zoek dan uit wat wél werkt en bouw daarop voort, en ga niet zitten zeuren over wat er misgaat en stuk is. Zoek naar het positieve 'lichtpuntje' tussen het zich opdringende, grenzeloze negatieve. Oplossingen komen naar voren als je naar het positieve zoekt.

Voor mij kwam dat op een grappige, zichzelf waarmakende manier uit. In plaats van te tobben over wat mijn rol in het bedrijf was, liet ik mijn rol zich ontwikkelen tot de niet-tobber van het bedrijf. Maar dit idee kan op een grotere schaal uitkomen. Evan keek bijvoorbeeld, toen hij podcasting had opgegeven, op bedrijfsniveau naar het Odeo-team en kwam tot de slotsom dat er geen reden was om het verzamelde talent te verspillen. Hij dacht er misschien niet in die bewoordingen over, maar hij nam aan dat er een lichtpuntje was, een idee dat de moeite waard was om iets mee te doen, en hij zette de deur ervoor open door met de hackathon aan te komen. Houd in je eigen bedrijf je ogen open, zoals Evan deed, voor het bijproject dat misschien wel een centrale plaats op het toneel verdient. Als je tien jaar geleden met een start-up wilde beginnen, moest je een hele kamer vol servers hebben voor de website en het internetverkeer. Sinds die tijd heeft Amazon een bijproduct uitgebouwd dat het bedrijf als internethandelaar had ontwikkeld als Amazon Web Services op de markt gebracht. Daarmee hebben zelfs doctorandi Engels een makkelijke, goedkope manier om een start-up te lanceren. Zoek naar lichtpuntjes van efficiëntie – laten we zeggen een afdeling die haar taak zo goed vervult dat ze de dienst ook aan andere bedrijven kan aanbieden – en maak ruimte voor je medewerkers om hun vaardigheden en belangstelling te laten floreren.

Dezelfde theorie is ook van toepassing op zelfs de kleinste aspecten van het leven. Ik beweer niet dat je, als je auto het begeeft, een manier kunt vinden om hem te gebruiken als koelkast (hoewel dat indrukwekkend zou zijn). Maar stel dat je nooit de tijd neemt om je garage eens uit te mesten. Wat krijg je dan altijd wel op de een of andere manier voor elkaar? Rekeningen betalen? Kijk dan naar waarom het betalen van rekeningen wél gebeurt. Komt dat doordat je daar tijd voor reserveert in je agenda? Doe je elke avond een beetje? Probeer dan dezelfde strategie eens toe te passen op het garageproject.

Meer dan dat het gewoon praktisch is, heeft de lichtpuntjestheorie ook te maken met een fundamenteel positieve kijk op het leven. Roze brillenglazen kleuren de wereld met valse schoonheid. Maar met een open, nieuwsgierige, optimistische geest vind je oplossingen – en heb je het nog leuker ook.

9

GROTE VERANDERINGEN ZITTEN IN KLEINE VERPAKKINGEN

We kwamen in 2007 van South by Southwest terug in de overtuiging dat Twitter belangrijk zou worden. We zetten het bedrijf op. Livy en ik verloofden ons. Gratis pizza's belandden op onze bureaus. Die zomer had ik grootse dromen over hoe mensen het nieuwe stuk technologie dat wij voor hen aan het creëren waren, zouden kunnen gebruiken.

Op een dag, toen iedereen was gaan lunchen, begon ik door fotodatabases te zoeken. Ik zat wat in illustraties te grasduinen – gewoon voor de lol – en ik kwam wat tekeningen tegen die mensen met Adobe Illustrator hadden gemaakt met gebruik van vectorafbeeldingen (beelden gemaakt van geometrische basiselementen). Het zag er heel eenvoudig uit. Ik wilde het ook eens proberen. *Wat moet ik dan tekenen? O, ik teken een vogel.* En dus tekende ik een vogel met Adobe Illustrator. Ik maakte hem blauw. Hij zag er best leuk uit. Ik gaf hem een lichter blauw buikje, een snavel en vleugels.

Toen iedereen na de lunch terugkwam, liet ik Ev zien wat ik had gedaan.

Hij zei: 'O, dat is best leuk.'

Ik zei: 'Misschien moeten we dit vogeltje op onze site zetten.'

Ev zei: 'Ja, best.'

Dus ik zette de vogel op de site, mensen vonden hem leuk en ik begon ernaar te verwijzen als 'het Twittervogeltje'. Een paar weken later vroeg ik mijn vriend Phil Pascuzzo, een professioneel ontwerper en illustrator, om er een beetje een Phil-sausje overheen te doen. Hij gaf er een eigenzinnige draai aan, en mijn vogeltje had nu een beetje haar op zijn kop. Dat was een tijdje ons Twittervogeltje. Later begon ik er meer filosofisch over na te denken. Elk bedrijf kan de eerste letter van zijn naam als logo gebruiken. Alleen Twitter kan een vliegend vogeltje gebruiken als weergave van de vrijheid van meningsuiting. Toen vroeg ik onze artdirector, Doug Bowman, om het vogeltje minder cartoon-achtig te maken, meer iconisch. Hij maakte een variatie op Phils vogel, en die presenteerde ik aan het bedrijf.

In de presentatie liet ik het logo van Apple zien, het logo van Nike en het Twittervogeltje. Ik zei tegen het team: 'Jongens, in mijn ambitieuze visie van de toekomst zullen de mensen Twitter gebruiken om despotische regimes omver te werpen, en als ze dat doen, zullen ze sjablonen van dit vogeltje spuiten op de afbrokkelende muren van de tirannie.'

Later vroeg Jack onze artdirector om nóg een vogel te ontwerpen, nog verder vereenvoudigd, en gaf hij een vergelijkbare speech.

Er waren zo veel manieren om een tweet op Twitter te zetten dat het onmogelijk zou zijn dat aan banden te leggen. Mensen in alle landen zouden de vrijheid hebben om met elkaar te communiceren. Wat je ook aan beperkingen inbouwt, de mensen vinden tóch wel een maas in het net. Om Twitter af te sluiten, zou je alle mobiele communicatie overal moeten afsluiten. Wij waren – door al onze technische zwakten – zelf ons enige obstakel. Twitter was niet te stuiten.

—

We waren toen slechts met z'n twaalven, daar in het Twitterkantoor aan South Park. Ik woonde in Berkeley en nam elke dag de metro naar huis. Op een avond kwam ik om zeven uur het BART-station binnen, waar ik altijd op de trein sprong onder de San Francisco Bay door naar huis. Net toen ik instapte, hoorde ik mensen iets mompelen over een aardbeving.

Ho eens even! Iemand zei: 'Aardbeving!' en ik wilde in een enorme tunnelbuis onder de baai door gaan? Dat leek niet de veiligste plaats net na een aardbeving. Moest ik uit de trein springen voordat de deuren dichtgingen? Ik keek om me heen: waren er mensen die in paniek raakten? Moeilijk te zeggen. Forenzen bewegen nogal veel heen en weer, in allerlei richtingen. Was het paniek of was het gewoon de spits?

Ik keek op mijn telefoon en zag dat ik een heleboel tweets over de aardbeving had. In een ervan stond:

Eh, het was maar 4,2 op de schaal van Richter.

Andere meldden dat het alleen maar een lichte aardbeving was.

O, nou, dan kan ik er wel in blijven.

Twitter was niet meer alleen iets leuks voor me, het eigenzinnige, kleine toepassinkje waarvan ik een glimlach op mijn gezicht kreeg. Het betekende nu het verschil tussen in de trein blijven en je een beetje zorgen maken, of eruit springen en te laat zijn om boodschappen te doen, de hond uit te laten en Livy nog even te spreken. Het leek iets kleins: de mening van een gemengde groep mensen zonder enige autoriteit of deskundigheid op het gebied van aardbevingen. Maar toch, die meningen dienden een belangrijk doel. Twitter had me zojuist een heleboel gedoe bespaard. In wezen maakte het iets uit voor mijn manier van leven.

We waren niet begonnen met het bouwen van een werktuig om mensen te helpen een beslissing te nemen over aardbevingen. Dit zou onze volgende les zijn, de grootste die Twitter te bieden had: zelfs de simpelste hulpmiddelen kunnen mensen in staat stellen grootse dingen te doen.

Twitter was als klein concept begonnen, maar de groei was exponentieel. En met die groei kwam iets onverwachts. We begonnen de werkelijke kracht van een sociaal netwerk te zien om menselijke activiteiten te kanaliseren.

In april 2008 werkte James Buck, een promovendus aan Berkeley, in Egypte aan een multimediaproject over antiregeringsgezinde groeperingen in dat land. Hij volgde de oppositiepartij, maar hij had moeite om op tijd iets te weten te komen over hun bijeenkomsten zodat hij er nog bij kon zijn. Uiteindelijk vroeg hij hoe zij hun protesten organiseerden en de communicatie coördineerden. Ze zeiden: 'We gebruiken Twitter', en lieten hem zien hoe dat werkte (nogal ironisch als je bedenkt dat James uit de buurt van San Francisco komt).

Een week later was James eindelijk bij een spontaan antiregeringsprotest aanwezig. Toen hij later naar het Twitterkantoor kwam om ons daarover te vertellen, zei hij dat politieagenten in Egypte vaak een snor hebben. Het is een onofficieel deel van het uniform, zoals hier bij ons in Amerika bij Major League Baseballspelers. Hij zei: 'Als je een heleboel snorren ziet, weet je dat er iets aan de hand is.'

Hij ging dus naar het protest, en de snorren waren alom aanwezig. Het evenement eindigde met de arrestatie van James en een groep anderen. Om de een of andere reden had de politie hem zijn telefoon niet afgenomen. Ze hadden hem gewoon achter in de wagen gegooid. Hij was echt bang – een Amerikaanse jongen in Egypte, gearresteerd door de Egyptische politie – en had geen idee wat hij kon verwachten. Stiekem, achter in de politiewagen, tweette hij één enkel woord:

gearresteerd

Zijn vrienden hier in Amerika wisten waar hij was en wat hij daar deed, en ze wisten dat het geen grap was. Hij kon best in serieuze problemen zijn. Ze namen contact op met de decaan van Berkeley, die regelde dat een advocaat in Egypte James de cel uit probeerde te krijgen. Zijn volgende tweet was ook één woord:

bevrijd

Dat was fijn voor James, en – nu de penibele situatie achter de rug was – een geweldig verhaal voor ons. Wij bij Twitter, en verder iedereen die het verhaal via het nieuws hoorde, konden ons onmiddellijk een oneindige hoeveelheid scenario's voorstellen waarin Twitter een reddingslijn kon zijn. Ik mocht vooral graag fantaseren over mogelijk gebruik van Twitter.

- Er is een aardbeving. Je ligt beklemd onder puin. De batterij van je telefoon is bijna leeg. Je kunt één sms'je sturen naar één enkele vriend, of je kunt tweeten naar honderd man. Wat kies je?
- Een boer in India met een simpele telefoon post een tweet met de vraag wat een bepaalde graansoort doet op de markt vijfenzeventig kilometer van waar hij woont. Het antwoord is tweemaal zoveel als hij wilde vragen. Dit betekent een jaar lang een enorme verandering in zijn leven en dat van zijn gezin.
- Twitter zou deel kunnen uitmaken van de nieuwsvoorziening, als aanvulling op de feed van Bloomberg News. Als Bloomberg drie tweets over iets opvallends zou krijgen uit onafhankelijke bronnen, kan dat reden zijn voor een onderzoek.
- Informatie zou binnen enkele minuten verspreid kunnen worden met behulp van retweets. Binnen één minuut zouden miljoenen mensen op de hoogte kunnen worden gebracht van iets belangrijks.

Hoe meer ik me de mogelijkheden voorstelde, des te meer zag ik dat de hele waarde van Twitter lag in de manier waarop mensen het gebruiken. Als bedrijf praatten we liever niet over hoe geweldig de technologie achter Twitter was (wat moeilijk te verdedigen was, met de Fail Whale en zo), maar vierden we gewoon de verbazingwekkende dingen die mensen ermee deden. Het was een eigenaardige omkering. Normaal gesproken schrijven bedrijven persberichten over al het geweldigs wat ze doen en proberen ze er zo veel mogelijk aandacht en belangstelling voor op te roepen. Maar wij konden onmogelijk door alle tweets heen spitten die door het systeem gingen. In plaats van kranten te vertellen wat zíj over óns moesten schrijven, gebruikten wij hén om uit te zoeken welke levens Twitter allemaal had veranderd of zelfs gered.

Het ging ons er niet om dat Twitter zo geweldig zou zijn: het ging om geweldige mensen die geweldige dingen deden. Maar Twitter was een goed, hip, pakkend verschijnsel geworden voor journalisten. We waren een merk met een waarde van een miljard dollar geworden, omdat we automatisch meeliften op een voortdurende stroom ongelooflijke lotgevallen van mensen.

We werden voortdurend verrast door hoe mensen Twitter accepteerden. In korte tijd zat het hele Congres op Twitter. *Nou ja!* En ik had nooit gedacht dat bekende wereldburgers Twitter zouden willen gebruiken. Het gaat er bij een bekend persoon nu juist om dat het publiek beperkt toegang tot je heeft. Ze moeten maar wachten tot ze je weer in een film zien. *Waarom zou een ster zijn uitstraling willen verflauwen door zijn dagelijks leven te delen?* Waar ik geen rekening mee had gehouden was dat bekendheden het prettig vinden om agenten en studio's te kunnen omzeilen. Twitter is een manier voor hen om eindelijk rechtstreeks met hun fans in contact te komen. Ik had dit wel kunnen weten: net zoals ik had beseft dat mensen dankzij de menselijke kant van Twitter ons bedrijf goed zouden gaan vinden, wilden de sterren ook gezien worden als menselijk.

—

Een jaar nadat we officieel met Twitter Inc. waren gestart, kreeg ons kantoor last van kinderziektes. Eén probleem dat we hadden, was met de internationale providers. In de Verenigde Staten hadden we overeenkomsten gesloten met de meeste telefoonbedrijven. Met onze korte code 40404 waren de tweets die mensen stuurden eigenlijk gratis. Maar in Europa en Canada betaalden we nog steeds de rekening voor elke tweet die werd verstuurd. In een bepaalde maand was die rekening zelfs zes cijfers groot! De internationale providers hadden niet ingestemd met gratis tweets.

Ons internationale systeem was zo provisorisch opgetuigd dat het werd gerund vanaf één enkele laptop. Boven die laptop hing een briefje met daarop: NIET UITZETTEN. Die absurd hoge rekening was voor mij het breekpunt. Toen we die moesten betalen, stapte ik naar de laptop en trok de stekker eruit. Ik trok de stekker uit het internationale Twitter. Daarna zette ik een bericht op de Twitterblog met woorden van deze strekking: 'We hebben net het hele internationale gedeelte uitgezet omdat het te duur is.' Ik had zo'n idee dat, als genoeg mensen het belangrijk vonden, de providers ons wel zouden bellen om tot een overeenkomst te komen. Uiteindelijk gebeurde dat ook.

Onze groeicurve in 2008 ziet er heel steil uit, en zo voelde het voor ons ook. Maar als je ernaar kijkt in de context van de jaren erna, lijkt de lijn vlak – zo kolossaal was onze groei. We maakten ons nog niet druk over geld verdienen. Onze investeerders begrepen wel dat iets als dit eerst heel groot moest worden voordat we winst zouden maken. Evan zei altijd: 'Er bestaat geen service met honderd miljoen actieve gebruikers die geen geld verdient. Maak je geen zorgen.'

Intussen hadden we nog net zo veel gedoe met onze techniek als altijd. De applicatie ging continu plat, en hoe sneller we groeiden, hoe moeilijker het was om Twitter in de lucht en werkend te houden. De groei van het bedrijf ging ten koste van het bedrijf zelf.

Door onze populariteit begon er iets te smeulen bij de raad van bestuur. Net zoals wij allemaal wilden zij ook dat Twitter goed werkte. Jack, onze CEO, was een programmeur. Hij had nog nooit een bedrijf geleid. Er moest iemand met bestuurlijke ervaring komen om de teugels in handen te nemen. Dus werd besloten Jack als CEO aan de kant te zetten en Evan in zijn plaats te benoemen. Het hoeft geen betoog dat dat enig kwaad bloed zette.

Toen ik hoorde dat ze Jack gingen ontslaan, hield ik een pleidooi voor de raad van bestuur om hem nog een jaar te laten blijven om zichzelf te bewijzen, maar drie maanden later, in oktober 2008, gaven ze hem zonder mij daarover in te lichten toch de bons. Ik ontdekte dat op een woensdagmorgen toen Evan mij vroeg om over een halfuur bij hem in zijn flat te komen, een paar straten van ons kantoor vandaan. Toen ik aankwam, merkte ik dat Ev ook Jason Goldman, ons hoofd techniek Greg Pass en ons hoofd research Abdur Chowdhury had gevraagd. Greg en Abdur waren bij Twitter gekomen toen we in juli 2008 Summize hadden overgenomen, waarmee we de technologie hadden verworven om mensen via openbare tweets te laten zoeken. Wij vieren waren waarschijnlijk de laatste mensen aan de top die het nieuws hoorden.

We liepen naar Evs flat. Bij binnenkomst zei Ev tegen ons: 'De raad van bestuur heeft besloten afscheid te nemen van Jack en hem als CEO te vervangen door mij.' Er was een moment van stilte.

Greg zei: 'Jee!'

Ik zei: 'Waar is Jack? Weet iemand waar hij nu is?' Waar Jack ook was, ik wist wel dat hij zich niet heel goed zou voelen. Hij was net uit zijn eigen bedrijf geschopt.

Jack had zijn ontslag van de raad van bestuur gekregen op hetzelfde moment dat Evan ons vertelde wat er aan de hand was. Ik stuurde Jack meteen een sms'je, en hij en ik gingen meteen nadat ik bij Ev was weggegaan samen lunchen. Jack was terneergeslagen. Later zou hij dat moment onder woorden brengen door te zeggen dat hij zich voelde alsof hij een stomp in zijn maag had gekregen. Ik stelde voor dat hij het nieuws aan de andere medewerkers zou vertellen in een chique toespraak waarin hij de beslissing van de raad zou prijzen, het team zou vertellen dat hij op een hoger niveau een minder prominente positie zou aanvaarden als voorzitter van de raad, en vertrouwen kon tonen in het succes van het bedrijf in de toekomst.

Jack lepelde wat soep naar binnen. Toen zei hij: 'Ik ga het net zo doen als Steve Jobs. Op een dag kom ik terug.' Toen hij dat zei, veranderde zijn houding, alsof de gedachte aan hoe Steve Jobs ook uit zijn eigen bedrijf was gezet, het voor hem eenvoudiger maakte te accepteren wat er vandaag was gebeurd.

Zoals ik bij SXSW had gedaan, schreef ik voor Jack een korte, chique speech (met daarin een heel stuk over hoe charmant, grappig en knap ik was). In de speech werd het team geprezen. De toon was over het algemeen positief, ook al voelde Jack zich niet zo positief.

In feite had de geest van Ev als CEO de hele tijd rondgewaard. De meeste medewerkers waren van Odeo afkomstig, waar hij onze CEO was geweest. In mijn wekelijkse interne e-mails had ik vaak naar Jack verwezen als onze 'onverschrokken leider', in een poging zijn imago op te krikken. Nu moest ik het schip weer richting Evan terugsturen.

Na Jacks vertrek peinsden hij en ik wat over een idee voor een iPhone-app waarmee je je agenda kon bijhouden. 's Avonds ontmoetten we elkaar in een café en dan werkten we er voor de lol aan, om onze hersenen aan het werk te zetten en om een reden te hebben om te blijven samenwerken. Toen verdween Jack voor twee weken. Toen hij terugkwam, vertelde hij dat hij aan een nieuw project werkte met iemand die Jim heette.

'Het blijkt dat je met de koptelefooningang van een smartphone de magnetische strip van een creditcard kunt uitlezen.

Zo kun je dus een telefoon in een creditcardlezer veranderen,' zei hij tegen me.

'Wow, dat is geweldig,' zei ik.

Dat idee werd Jacks nieuwe start-up, Square. Ik werd er een durfkapitaalinvesteerder in. Het was nu eenmaal zo dat ik op welk niveau dan ook aan alle projecten van Jack wilde meedoen.

Door de verandering in leiderschap en de technische problemen was het team van slag. We waren de risee van de technische wereld. De programmeurs gaven elkaar de schuld. Zoals altijd, als al het andere faalt, moet je je tot *Star Trek* wenden. Er is een aflevering in *Next Generation* die 'Attached' heet en vooral is gericht op Captain Picard en dr. Crusher. In die aflevering zitten ze alleen op de planeet Kesprytt III. Ze worden door enkele bewoners gevangengenomen en krijgen een 'transceiver' geïmplanteerd waarmee ze elkaars gedachten kunnen horen. Op een bepaald moment maken ze een wandeling en verdwalen ze. Captain Picard zegt: 'Deze kant op.' Maar de dokter leest zijn gedachten en zegt: 'Je weet het eigenlijk niet, hè?' De kapitein erkent dat je soms als leider de schijn van vertrouwen ophoudt.

Dat is mijn leiderschapszet. Als je zegt: 'Zo gaan we het doen. Zo moet het', krijgt iedereen het gevoel van een gezamenlijke missie. We moesten ons richten op iets wat groter aanvoelde dan ons uit het lood geslagen bedrijf. De presidentsverkiezingen van 2008 doemden op aan de horizon en allebei de kandidaten hadden een Twitteraccount. De avond van de verkiezingsdag zou voor Twitter belangrijk worden. Ja, het was een historische verkiezing, en jazeker, de uitkomst zou bepalend zijn voor de koers van ons land. Maar het enige waarop ík me concentreerde was (a) of Twitter het zou blijven doen en (b) hoe we deze grote gebeurtenis zouden kunnen gebruiken om het moreel van onze medewerkers op te vijzelen. Om ons weer het teamgevoel te geven.

—

In de maanden voorafgaand aan de verkiezingen werkten we met het hele team heel hard aan het oplossen van de capaciteitsproblemen die ons hadden geteisterd.

De kandidaten dachten misschien dat het hún spektakel was, maar net als een nieuwsteam hadden wij het gevoel dat het het ónze was. En ik moet zeggen: het werkte. De medewerkers werden weer een team.

De week van de verkiezingen was een belangrijke week voor Twitter, om nog maar niet te spreken van de Verenigde Staten en de rest van de wereld. Ik stuurde een enthousiasmerende e-mail naar het team met de kop: 'Een Nieuwe Functie Toevoegen aan Democratisering van Informatie.' Ik schreef:

> Beste mensen,
> Vogels hebben in de lucht het verbazingwekkende vermogen om als één lichaam te bewegen – onmiddellijke feedback en simpele regels creëren een beweging die eruitziet als iets wat gracieus en vloeibaar is – het lijkt wel een choreografie. In het voorjaar van 2007 vingen we een glimp op van mensen die een vergelijkbaar vermogen inzetten voor een nieuw soort communicatie. Op South by Southwest 2007 kwamen wij in aanraking met de ongelooflijke relevantie van Twitter tijdens een gedeelde sessie daar.
>
> Nu kijkt de wereld toe, terwijl een van de meest indruk-

> wekkende gedeelde gebeurtenissen in de geschiedenis van de Verenigde Staten zich voor onze ogen ontvouwt. Twitter staat klaar om dit verkiezingsproces te steunen zoals nooit eerder is gebeurd: zevenendertig leden van het Congres twitteren, beide kandidaten hebben een actief account, miljoenen burgers reageren op hetzelfde moment op van alles en nog wat, en politieke activisten organiseren protesten – allemaal met gebruik van Twitter, allemaal bewegend als één lichaam.

Vooruit, het was misschien een beetje overdreven. Maar toen ik dit aan de Twittermedewerkers schreef, wilde ik dat ze daardoor afstand konden nemen van de situatie en zouden denken: Jezus christus, wat doe ik eigenlijk belangrijk werk! Ik wilde dat ze deze e-mail zouden delen met hun partner thuis en zouden zeggen: 'Kijk! Wat ik doe, is belangrijk.'

Een deel van ons bleef die dinsdag, de avond van de verkiezingen, lang op het werk om ervoor te zorgen dat alles soepel liep. We nodigden een man of vijftig uit om met ons onder het genot van een hapje en een drankje de verkiezingsuitslag op het grote scherm te volgen. Wat er toen gebeurde, was fantastisch. Het gebruik van Twitter lag ineens 500 procent hoger dan normaal – zonder een centje pijn.

De servers hielden het. En we kregen onze eerste Afro-Amerikaanse president! Dat was die avond de volgorde van het nieuws bij ons op kantoor. Noem ons Ismaël – onze walvis was nu even nergens te bekennen. En met dat grote beest veilig buiten beeld verwelkomden wij de eerste Amerikaanse president met een officieel Twitteraccount.

Een paar weken later was er een reeks terroristische aanslagen in de Indiase stad Mumbai. Mensen die er middenin zaten, gebruikten Twitter om rechtstreeks verslag te doen van wat er gebeurde, en in sommige gevallen diende Twitter als reddingslijn.

Overal ontdekten de mensen waarom Twitter belangrijk was in hun leven, van het lezen van filmrecensies via het helpen van daklozen tot het spontaan geld bij elkaar krijgen voor rampen waar dan ook ter wereld. Terwijl wij hard aan het werk waren en ons concentreerden op de performance van Twitter, was de rest van de wereld bezig om uit te zoeken waar ze het zoal voor konden gebruiken.

Ik was niet de enige die grootse ideeën had over hoe Twitter kon worden gebruikt. Op 30 juli 2008 werd Zuid-Californië getroffen door een aardbeving van 5,4 op de schaal van Richter. Het officiële tijdstip van de aardbeving was 11.42 uur, maar de tweets waarin de beving werd aangekondigd, kwamen al eerder binnen. Negen minuten later, om 11.51 uur, zond Associated Press een alarm van zevenenvijftig woorden uit via hun telegrafische dienst. In die negen minuten waren er op Twitter al 3600 tweets met het woord 'aardbeving' geweest. In dat nieuwsgat van negen minuten hadden wij al een verzameling verslagen uit de eerste hand bij elkaar waarmee we een boek vol hadden kunnen krijgen. Natuurlijk is Twitter geen traditionele nieuwsdienst. In onze meldingen worden geen betrouwbare gegevens en feiten verspreid. De berichten worden door gebruikers gemaakt en zijn maximaal 140 karakters lang. Wat Twitter wél heeft te bieden, is snelheid. Associated Press is zo snel als het kan zijn. Maar Twitter heeft een wereldwijd gebruikersbestand dat elke seconde boodschappen verstuurt, zonder tijdsverschil. Of Twitter nu wel of niet de toekomst van het nieuws is, het is op z'n minst complementair. Snel aan informatie kunnen komen is een van de beste dingen die je op aarde kunt hebben. Twitter verbindt ons onmiddellijk met alles wat er in de wereld gebeurt.

In en om San Francisco gaat het altijd weer om aardbevingen en hoe je die het best doorstaat. Die 30e juli zonden mensen tweets terwijl ze de aardbeving meemaakten; ze konden de verleiding niet weerstaan. De aandrang om midden in een beving te tweeten, was te sterk. Die tweets creëerden een kaart waarop de klap en het bereik van de aardbeving stonden uitgezet. En de tweets verspreidden zich sneller dan de aardbeving. Twitter kon aardbevingen vóór zijn, eerder dan wie of wat ook.

Wacht eens even. Dit is niet meer alleen iets waarmee je deelt wat je eet als ontbijt. Het is niet meer alleen iets om te melden wat er is gebeurd. Het kan voorspellen wat er gáát gebeuren. Deskundigen op het gebied van noodsituaties zagen onmiddellijk dat Twitter iets kon wat hun eigen systemen niet konden. Ze begonnen ons te bellen, wilden met ons samenwerken om Twitter tot een officieel onderdeel van de noodoproepdienst te maken, maar ik zei dat het daar nog te vroeg voor was. Onze service was nog niet betrouwbaar genoeg. We wilden niet dat er iemand doodging omdat Twitter uit de lucht was.

Niettemin zagen wij en de hele wereld na die aardbeving het potentieel van Twitter in een nog groter licht dan daarvóór. Om dat potentieel ten volle te kunnen benutten moesten we zowel alomtegenwoordig als betrouwbaar zijn. Op beide fronten maakten we flinke vorderingen.

In januari 2009 zaten we in ons kantoor in Bryant Street, waar we naartoe waren verhuisd na onze tijd in dat rare kantoor aan South Park, en we zaten midden in wat wij het ‘thee-uurtje’ noemen, onze wekelijkse plenaire vergadering. 'Thee-uurtje' is afgeleid van Googles traditie van de TGIF (Thank God It's Friday): elke vrijdag gratis bier en hapjes. Jack houdt van thee en dus had hij bedacht dat we dan bijeen konden komen, praten over wat we die week hadden bereikt en met elkaar konden genieten van thee met een biscuitje. Maar zodra de mensen ontdekten dat er bier in de koelkast stond, konden we niet meer terug. Die dag hadden we een journalist van *Wired* op bezoek. Hij was de hele week bij ons voor een artikel over Twitter. Hij zat bescheiden in een hoekje, niet om verslag te doen van iets speciaals in de vergadering, maar om een algemeen gevoel te krijgen van hoe het er bij Twitter aan toeging. En toen zei hij iets.

'Hé jongens, sorry dat ik stoor, maar er heeft net een vliegtuig een noodlanding gemaakt in de rivier de Hudson. Iemand van de pont die helpt bij het redden, heeft een foto gemaakt met zijn iPhone en die op Twitter gezet.'

De vergadering was meteen afgelopen. We liepen allemaal naar hem toe om op zijn laptop te kijken. Het was een perfecte foto. Je zag mensen in zakelijke kledij op de vleugel van een vliegtuig van US Airways staan midden in de Hudson.

De verkiezingen van 2008 waren het beslissende moment voor ons geweest omdat we technisch zo'n grote capaciteit hadden aangekund. Maar dit was een bepalend moment voor de rol van Twitter op het gebied van onmiddellijke berichtgeving. We hebben allemaal verschillende mogelijkheden om elektronisch contact met mensen op te nemen: e-mails, sms'jes, IM's, tweets. Er is een tijd en plaats voor elk daarvan. Als er voor je neus een vliegtuig in de Hudson landt, is dat een tweet. Dat is de ultieme tweet. Daarover stuur je geen mailtje naar een vriend, je zet het op Twitter.

Op 7 april 2009 kwam ik op mijn werk en trof ik mijn inbox helemaal vol aan. Mijn zakelijke telefoon zat boordevol berichten. Het was de pers, en ze stelden allemaal dezelfde vraag: Wat was de rol van Twitter bij de studentenrellen van vandaag in Moldavië?

Eh... waar?

Ik wilde terugmailen: 'Nou, we vonden het niets wat daar in Moldavië gebeurde en dus hebben we op de grote rode Moldaviëknop hier bij ons bij Twitter aan de muur gedrukt en de onlusten ontketend.'

Maar in plaats daarvan zocht ik Moldavië op in Wikipedia. Het bleek dat studenten in het land tussen Roemenië en Oekraïne – die twee kende ik wél – een protest hadden georganiseerd tegen de voorlopige verkiezingsuitslag van Moldavië omdat ze vermoedden dat de verkiezingen niet eerlijk waren verlopen. Omdat ze Twitter hadden gebruikt voor de organisatie, werd het in de media de Twitterrevolutie genoemd.

De gebruikersverhalen die ik had voorzien, kwamen allemaal uit, en nog wel meer ook. En dat allemaal door een toepassing die was begonnen bij Jack en mij terwijl wij met elkaar deelden wat we bij het ontbijt aten. Ik hoefde onze medewerkers niet meer te zeggen dat het belangrijk was wat ze deden. Dat was wel duidelijk.

Zoals ik op 19 oktober 2010 in een artikel in de *Atlantic* uitlegde, was er natuurlijk enig verzet tegen het idee dat Twitter de wereld veranderde. In de *New Yorker* schreef Malcolm Gladwell: 'Iets van deze pompeuze houding is te verwachten. Vernieuwers zijn vaak van zichzelf overtuigde types. Ze willen graag elk los feitje en elke ervaring die ze tegenkomen in hun nieuwe model proppen.' Dit irriteerde me, want wij waren niet degenen die met de eer wilden strijken voor de protesten in Moldavië. Integendeel, we deden wat we konden om duidelijk te maken dat we niet vonden dat Twitter de stem van de revolutie was. Twitter was alleen maar een hulpmiddel dat mensen gebruikten om geweldige dingen te doen. En was dat niet al fantastisch genoeg? *Als je mensen de juiste gereedschappen geeft, doen ze fantastische dingen.* Niemand heeft gezegd dat de telefoon de Berlijnse muur heeft afgebroken, maar werden er telefoontjes gepleegd? Reken maar! Twitter was het bewijs dat zelforganiserende systemen zonder leider aan het hoofd ware agenten van verandering konden zijn.

—

Toen aan het eind van 2010 de Arabische Lente begon, werd het nog belangrijker voor me om de rol van Twitter te verduidelijken.

Activisten in Arabische landen gebruikten Twitter en andere services, zoals Facebook, om hun opstand te organiseren. Op een bepaald moment konden we haast de volgende revolutie voorspellen. We zagen dan eerst het aantal tweets in een bepaald gebied omhooggaan en dan hadden we kunnen opbellen: 'Hé dictator, misschien moest u maar eens vluchten.'

Plotseling, terwijl de Arabische Lente voortduurde, wilde elke belangrijke nieuwsrubriek dat ik kwam praten over wat er gebeurde. Mijn intuïtie zei me daar niet op in te gaan. Niet alleen omdat ik bang was om gezien te worden als een idioot op het gebied van wereldzaken, maar ik had ook het gevoel dat het niet goed was om me in de handen te wrijven – of zelfs maar bezig te zijn met wat dit allemaal voor ons bedrijf betekende. Er stierven mensen. Ik ging niet met m'n kop op tv en daar zeggen: 'Jaha, moet je eens naar ons kijken! We zijn een geweldig bedrijf!'

Als dit boek beperkt was tot 140 bladzijden,
zou het hier eindigen.

We waren wel blij dat we een zichtbaar onderdeel waren geworden van de veranderingen die plaatsvonden, maar ik wilde heel voorzichtig zijn ten aanzien van de rol die wij daarin speelden. We hadden geen pr-man of zoiets, dus ik was de facto degene die besloot of we met de pers zouden praten en waarover dan. Dus besloot ik dat ik met niemand van hen zou praten. Een paar leden van onze raad van bestuur en onze meest nabije investeerders hadden zoiets van: 'Wat? Ben je gek of zo? Dit is een enorme kans op internationale publiciteit.' Daar hadden ze natuurlijk ook een punt: telkens als we op tv kwamen, meldden een miljoen nieuwe mensen zich voor Twitter aan, maar toch wilde ik nee zeggen tegen alle belangrijke media. Ik wilde hen niet kwaad maken. Ik hoopte dat ze op enig moment over Twitter zouden praten; ik wilde het alleen niet onder die omstandigheden. Dus richtte ik me tot Raymond Nasr, mijn vriend en pr-adviseur. Ik stuurde hem de e-mail die ik wilde sturen in antwoord op de mediaverzoeken. Die was kort en er stond grofweg in: 'Dank voor uw belangstelling, maar we praten hier niet over.' Raymond, die altijd heel economisch met taal is, zei: 'Perfect zo. Ik zou alleen nog het woord "ongepast" toevoegen.'

En zo stuurde ik een e-mail met de volgende inhoud: 'Zeer bedankt voor de geboden gelegenheid, maar we denken dat het niet gepast is om een interview te geven of commentaar te leveren buiten wat we al op onze bedrijfsblog aan het publiek hebben gemeld.'

De meeste antwoorden die ik daarop kreeg, zeiden: 'Begrepen.'

Toen ik de baan bij Blogger wilde, had ik mezelf gevisualiseerd terwijl ik daar al werkte. Ik geloofde erin dat een dergelijke vorm van visualisering de kracht had om dingen te laten gebeuren. Nu de gebruiksmogelijkheden die ik voor Twitter voor me had gezien allemaal werkelijkheid werden, voelde ik me alsof ik droomde. Het was allemaal heel snel heel serieus geworden. Ineens moesten we keuzes maken over hoe we met overheden moesten omgaan.

Nu en dan moesten we Twitter uit de lucht halen voor onderhoud. Dan postten we een bericht om de gebruikers te waarschuwen. Maar in juni 2009, toen we ons gebruikelijke onderhoudsbericht plaatsten, kregen we onmiddellijk ongeveer honderd telefoontjes en mailtjes met de inhoud: 'Jullie kunnen Twitter nu niet uit de lucht halen! Er staat een demonstratie in Iran gepland.' De Iraanse regering had alle andere communicatiemiddelen afgesloten en Twitter werd beschouwd als essentieel.

Van alle e-mails die we toen ontvingen, was er één wel heel opvallend. Die kwam van een van de leden van onze raad van bestuur. Een ambtenaar van de federale regering had een bericht naar hem gestuurd, en hij stuurde dat ter informatie door.

Buitenlandse Zaken wilde niet dat Twitter voor onderhoud werd stilgelegd.

Jason Goldman en ik overlegden wat we moesten doen. We waren echt hard aan onderhoud toe – we hadden dat al dertien keer uitgesteld, en als we het niet snel zouden uitvoeren, zou het systeem mogelijk voor altijd op zwart gaan.

Uiteindelijk zei ik: 'Laten we het onderhoud nog één keer doorschuiven.' Niet omdat ik de orders van Buitenlandse Zaken zo graag wilde opvolgen – ik had niet de pretentie dat ik de situatie goed begreep – maar omdat het de bedoeling was dat Twitter goed werkte en het onze taak was om ervoor te zorgen dat dat ook zo was en bleef. Wat er in Iran gebeurde, was rechtstreeks verbonden met de toenemende mondiale betekenis van Twitter en het belang ervan als communicatie- en informatienetwerk.

Dus planden we het onderhoud opnieuw, nu midden op de middag, het moment waarop het in Iran middernacht is. Voor iemand van buiten zag het er misschien uit alsof Buitenlandse Zaken met hun rode telefoon had gebeld en wij in de houding waren gesprongen om aan hun verzoek te voldoen. Onze gedachtegang was: als wij het onderhoud uitstellen omdat de Amerikaanse regering ons dat heeft gevraagd, wat moeten we dan nog meer voor hen doen? Maar de regering had geen beslissingsmacht over Twitter. We hadden niet de wens om onze regering – of welke regering dan ook – te helpen. We moesten een neutrale technologieprovider blijven.

Op 16 juni 2009, de dag na het onderhoud, postte ik het volgende bericht op de Twitterblog:

> Twitter is er weer en onze netwerkcapaciteit is nu flink uitgebreid. Het geplande onderhoud dat we van gisteravond naar vanmiddag hebben verhuisd, is succesvol verlopen en heeft slechts de helft van de verwachte tijd gekost.
>
> Toen we gisteren met onze netwerkprovider dit onderhoud herplanden, deden we dat omdat gebeurtenissen in Iran direct waren verbonden met het toegenomen belang van Twitter als communicatie- en informatienetwerk. Hoewel we veronderstelden dat het onmogelijk of anders dan toch extreem moeilijk zou zijn, hebben we in gezamenlijk overleg besloten de datum te verplaatsen. Twitter en NTT America vonden het zinvol om de dienst actief te houden tijdens deze zeer zichtbare mondiale gebeurtenis.

> Het is een nederig stemmende gedachte dat ons twee jaar oude bedrijf zo'n zinvolle rol op wereldniveau kan spelen dat overheidsambtenaren hun weg weten te vinden tot het benadrukken van ons belang. Het is echter belangrijk om op te merken dat het ministerie van Buitenlandse Zaken geen toegang heeft tot ons beslissingsproces. Niettemin kunnen we het er met elkaar over eens zijn dat de open uitwisseling van informatie een positieve kracht in de wereld is.

Een belangrijk standpunt van ons is dat we overheidsneutraal zijn. We zijn een communicatiehulpmiddel. We staan niet aan de kant van welke staat dan ook, of het nu gaat om het belang van een revolutie of de medewerking aan overheidsonderzoeken. Ik was trots toen precies vier jaar later, op 7 juni 2013, Claire Cain Miller een artikel in *The New York Times* schreef met de kop 'Techbedrijven capituleren voor inlichtingenprogramma'. Ze schreef over PRISM, het geheime inlichtingenprogramma van de Verenigde Staten, en merkte op dat toen de Amerikaanse geheime dienst bedrijven in Silicon Valley om gebruikersgegevens vroeg, 'Twitter weigerde het voor de overheid eenvoudiger te maken'.

Alexander Macgillivray, ons hoofd juridische zaken, door iedereen Amac genoemd, had alles gedaan wat hij wettelijk kon om ons standpunt te steunen. We waren niet in dienst van welke regering dan ook, en we maakten enorm veel stampij bij elke overheidspoging om bij onze gebruikersgegevens te komen.

We probeerden ons doel zuiver te houden: mensen overal onmiddellijk verbinden met wat voor hen het belangrijkst is. Daarvoor is vrijheid van meningsuiting van wezenlijk belang. Sommige tweets kunnen misschien bevorderlijk zijn voor een positieve verandering in een onderdrukt land, van andere schieten we in de lach, sommige zetten ons aan het denken, en van weer andere kan een grote meerderheid van de gebruikers ronduit woedend worden. We waren het niet altijd eens met wat mensen besloten te tweeten, maar we hielden de informatie stromend ongeacht de mening die we misschien zelf hadden over de inhoud.

Het was onze overtuiging dat de open uitwisseling van informatie een positief mondiaal effect heeft. Dat was zowel een praktische als een ethische overtuiging. Op praktisch niveau konden we gewoon niet alle meer dan honderd miljoen verstuurde tweets per dag controleren. Vanuit ethisch perspectief is nagenoeg elk land ter wereld het erover eens dat de vrijheid van meningsuiting een mensenrecht is.

We waren een heel eind gekomen sinds het ons opgeplakte etiket van het *Seinfeld* van internet. We waren op weg om een volwassen bedrijf te worden met een klein, simpel hulpmiddel dat kan worden ingezet voor grote veranderingen. We hadden de wereld niet veranderd, maar we hadden iets gedaan wat zelfs nog dieper gaat en we hadden een zeer inspirerende les geleerd: als je goede mensen mogelijkheden biedt, doen ze grootse dingen. Een superheld bestaat niet, maar met elkaar kunnen we de wereld een nieuwe kant op laten draaien.

10

EEN HALF MILJARD DOLLAR

Twitter had de aandacht van de wereld getrokken. Op een maandag ver in 2008, niet lang nadat Evan het CEO-schap van Jack had overgenomen, werd ik wakker in mijn kleine huisje in Berkeley en besloot om de een of andere vreemde reden die dag een gestoomd, geperst wit overhemd aan te doen. Ik draag nooit dat soort overhemden, maar ik zag het in mijn kast hangen en trok het aan, en Livia zei dat het best kon. Dus deed ik dat.

Ik liep de gebruikelijke dertig minuten van ons huis naar BART-station, haalde mijn kaart door het poortje, ging op een bankje zitten en wachtte op de trein. Van Berkeley Centraal naar Montgomery Street-station in San Francisco is het drieëntwintig minuten, en de trein gaat, zoals gezegd, door een buis over de bodem van de San Francisco-baai. Ik word er altijd een beetje zenuwachtig van, wat mijn twijfelachtige witte overhemd een beetje bezweet maakte. Ik wíst dat dat overhemd een vergissing was geweest.

Ik droeg mijn PowerBook aan mijn schouder gedurende de dertig minuten dat ik wandelde van Montgomery Station naar ons kantoor aan Bryant Street. Tegen de tijd dat ik op kantoor was, ongeveer twee uur nadat ik was opgestaan, zweette ik al een beetje.

Zodra ik binnen was, zei Jason Goldman tegen me dat Ev, die net Jack als CEO was opgevolgd, beneden in zijn auto op me zat te wachten.

Ik was niet gewend op mijn werk te komen en te horen te krijgen dat Ev op mij zat te wachten om naar een bijeenkomst te gaan. Er stond iets te gebeuren.

'Waarom zit-ie op me te wachten? Wat is dat voor een bijeenkomst?' vroeg ik.

'Ga nou maar.'

Dus draaide ik me om en ging weer naar buiten. Ev zat inderdaad op me te wachten in zijn Porsche.

Ik stapte in de auto. 'Waar gaan we naartoe?'

'Palo Alto.'

'O! Is het dan vandáág dat we die Q-and-A bij Google moeten doen?' vroeg ik. 'Ik wou dat ik dit overhemd niet aan had getrokken. Ik voel me raar in dit hemd.' Het was gewoon een heel normaal wit buttondown hemd, zoals een overhemd voor bij een pak, maar ik was er constant mee bezig. Had ik het in mijn broek moeten stoppen? Ik voelde me al onbeholpen in dat stomme overhemd, en nu gingen we ook nog eens naar Google.

We reden weg naar de 101 zuidwaarts. Ev mag graag hard rijden. En ondanks zijn normale geduld met mij raakt hij geïrriteerd als ik maar wat wauwel zonder na te denken.

'Hou nou eens je mond,' zei hij. 'We gáán niet naar Google. We gaan naar Facebook.'

'Waarom gaan we naar Facebook?'

'Om met Mark Zuckerberg te praten.'

'Waarom?' We joegen inmiddels over de 101.

'Facebook wil ons overnemen.' Soms is Evan net een sfinx. Hij zei dat zonder een spier te vertrekken.

'O,' zei ik. 'Willen we overgenomen worden?'

'Ik weet het niet. Waarschijnlijk niet.'

Een paar minuten lang zeiden we niets, terwijl Ev links en rechts auto's inhaalde. Ik moest denken aan ons laatste financieringsrondje. Daardoor was de getaxeerde waarde van het bedrijf op iets in de orde van vijfentwintig miljoen dollar gekomen.

'Voor hoeveel willen ze ons overnemen?' vroeg ik

'Weet ik niet.'

'Wil je het bedrijf aan Facebook verkopen?' vroeg ik nog een keer.

Nu zei Ev nee.

'Nou,' zei ik, 'waarom gaan we dan naar Facebook? Ik voel me niet fijn met dit overhemd aan.'

Ev zei dat het juist een heel goed overhemd was voor dit bezoek – ik merkte wel dat hij probeerde een eind te maken aan dat gezeur over dat hemd – en dat we nu niet meer terug konden. Hij had ingestemd met een gesprek met Mark Zuckerberg om over de overname te praten.

'Als we het bedrijf niet willen verkopen,' zei ik, 'moeten we misschien een prijs verzinnen die zo idioot is dat niemand dat ooit zou willen betalen. Op die manier onttrekken we ons niet aan de verplichting van een gesprek, maar komen we er wel goed mee weg.'

'Wat zou een idioot bedrag zijn?' vroeg Ev.

Ik gooide het grootste bedrag eruit dat ik me kon voorstellen: 'Een half miljard dollar.' Ik begon al te lachen voordat ik was uitgesproken. Ev moest ook lachen. We reden met een vaart over de 101 en zaten hard te lachen bij de gedachte hoe grappig het zou zijn als Mark Zuckerberg ons zou vragen voor hoeveel we het bedrijf wilden verkopen en wij 'voor een half miljard dollar' zeiden. We zaten een paar minuten te lachen, en toen zei Ev dat het waarschijnlijk niet zo eenvoudig zou zijn. Het was onwaarschijnlijk dat we echt over bedragen zouden praten.

We arriveerden in Palo Alto en parkeerden de auto bij een parkeermeter. Ze hadden bij Facebook nog geen groot eigen terrein. Het hoofdkwartier was verspreid over een paar gebouwen in het centrum van Palo Alto. We liepen naar de deur. Een receptioniste gaf ons een badge en zei dat we die zichtbaar moesten dragen zodat de medewerkers konden zien dat we bezoekers waren. We speldden hem gehoorzaam op ons overhemd.

Na een paar minuten kwam een van Marks getrouwe naaste medewerkers op ons af om ons te verwelkomen. Hij leidde ons langs wat mensen die lustig achter hun computer zaten te programmeren, en naar een bescheiden kantoor waar Mark aan zijn bureau zat. Bij onze binnenkomst stond Mark op en gaf ons een hand. We spraken de gebruikelijke begroetingen uit.

'Jullie hoefden geen badge op, hoor,' zei hij.

Ev antwoordde: 'Ja, dat moest wél. Van de receptioniste.'

'Ja, dat klopt,' steunde ik Ev.

Mark vroeg of we het leuk vonden als hij ons rondleidde. We zeiden: 'Ja hoor', en dus liep hij met ons weer terug naar waar we vandaan waren gekomen. Terwijl we hem volgden, gebaarde hij naar een stel mensen die aan een computer zaten te werken en zei iets als: 'Daar zitten een paar van onze mensen te werken.' Juist.

Hij nam ons mee naar de liften en liet ons een muur zien die met graffiti was verfraaid. Hij zei: 'Dat is onze graffitimuur.' Dat klopte. We zeiden dat het best gaaf was.

Met de lift gingen we naar de begane grond, en Mark vroeg of we nog een gebouw wilden zien. Ev en ik wisselden een blik uit, en met die ene blik zeiden we tegen elkaar: 'Beetje raar, maar laten we maar meedoen.'

Dus zei Ev: 'Ja, goed hoor, laten we maar eens gaan kijken.'

Omdat de gebouwen verspreid lagen in het centrum van Palo Alto, maakten we een wandelingetje over het trottoir, ik in mijn ongemakkelijke overhemd, wij allebei pontificaal met onze badge op, braaf achter Mark Zuckerberg aan.

Ook nu weer: een beetje raar.

We kwamen bij een ander gebouw en gingen naar binnen. Mark nam ons mee naar boven en liet ons nog wat mensen zien die aan een bureau zaten te werken. We liepen erlangs en Mark zei iets als: 'Daar zitten nog wat mensen te werken.'

Jawel. Hij had gelijk. Er zaten nog meer mensen te werken, net als in het andere gebouw. Ik gaf Ev een 'kan mij het schelen'-blik en hij smoorde een lach.

Mark stelde voor dat we even zouden praten en leidde ons naar een kamertje aan de andere kant van de etage dat waarschijnlijk een niet-bezet kantoor was. Er pasten net één stoel en een tweezitsbankje in. Mark liep het eerst naar binnen en nam de stoel. Ik was de volgende en ik perste mezelf op de ene helft van het knusse bankje.

Ev was de laatste en zei: 'Wil je de deur open hebben of dicht?'

Marks antwoord luidde: 'Ja.'

Ja wat? Het antwoord was niet logisch. Ev was even stil. Hij wachtte tot Mark zijn antwoord zou corrigeren, maar er kwamen geen nadere instructies en dus zei hij: 'Ik doe hem wel half dicht', en hij zette de deur zorgvuldig op een flinke kier.

Al die dingen: mijn witte overhemd, dat gedoe met de badges, de rondleiding nergens langs, hoe de deur precies moest, het krappe bankje waarop Ev zich naast me wurmde (gelukkig is hij zo mager), de mensen vlak buiten het toevallige kantoortje, die alles wat we zeiden, konden horen – al die dingen en nog meer maakten de hele situatie uiterst ongemakkelijk.

Ik begon het gesprek met woorden in de trant van: 'Mark, ik heb echt bewondering voor wat je doet. En ik denk dat we ongeveer met hetzelfde bezig zijn. We werken allebei aan het democratiseren van informatie, en dat vind ik geweldig.'

Mark keek me alleen maar aan met een gezichtsuitdrukking die zei: 'Ik wacht wel even tot die clown met zijn witte overhemd is uitgesproken en dan kan ik met die verstandige kerel praten.' Maar ja. Ik ben een prater. Soms moet Ev zeggen: 'Oké Biz, nu mag je wel weer stoppen, wil je?' Zelfs als Ev en ik alleen maar met elkaar in gesprek zijn, zegt hij soms: 'Biz, mag ik nu wat zeggen?'

Mark kwam vlot ter zake. Hij zei: 'Als het over partnerschappen gaat, praat ik niet graag over bedragen.'

'Wij ook niet,' zei Ev gauw.

'Maar,' voegde Mark eraan toe, 'als je een bedrag zou noemen, dan kan ik meteen ja of nee zeggen.'

Wat te doen? Na wat gehum en gekuch ging Ev er gewoon maar voor. Hij zei: 'Een half miljard.'

Wow, dacht ik. *Hij noemde dat bedrag echt.* Zoals ik al eerder heb gezegd, is Evan iemand die stevig met beide voeten op de grond staat. Hij vindt het leuk om productiviteitstoepassinkjes te bouwen waarmee je lijstjes voor acties kunt maken en afvinken. Hij houdt al zijn tijd bij. Later zou hij zelfs in zijn agenda momenten reserveren om met zijn kinderen te spelen. Ik was er behoorlijk van overtuigd dat 'ons bedrijf aan de oprichter en CEO van Facebook aanbieden voor een half miljard' niet op Evans actielijstje stond. Ik keek naar Evan, maar hij hield zijn blik strak op Mark gericht.

Even was het stil, en toen zei Mark: 'Dat is een hoog bedrag.'

Dat was voor mij het teken om een ongepaste grap te maken, dus ik bemoeide me ermee: 'Je zei dat je ja of nee zou zeggen, maar nu zeg je: "Dat is een hoog bedrag".'

Ev lachte, maar Mark niet. Oké, dit was niet mijn bijeenkomst. Natuurlijk door dat overhemd.

Mark zei: 'Hebben jullie zin om te gaan lunchen?'

We zeiden ja en volgden Mark het gebouw uit naar weer een ander non-descript gebouw in Palo Alto. Daar was de kantine van Facebook gehuisvest. Er stond een lange rij voor de deur en om de hoek de zijstraat in. (Gratis 'stuurlui aan wal'- CEO-tip voor Facebook: minder graffitimuren, meer kantinemedewerkers.) Nu was de beurt aan Ev om wat humor uit te proberen.

'Ben jij hier niet de baas? Kun je dit hier niet gewoon tot de voorkant van de rij benoemen?' Grapje.

'Zo doen we dat hier niet.' Toen draaide hij ons zijn rug toe en begon het wachten. Mark had gedacht dat Ev het meende. Wij waren net zo vreemd voor hem als hij voor ons.

Ik weet wel zeker dat Ev en ik ons allebei hetzelfde voorstelden: een lange, zwijgende wachtbeurt in de rij voor ons eten, gevolgd door een nog ongemakkelijker middelbareschoolachtige maaltijd tijdens welke Mark ons maar steeds dingen aan zou wijzen: 'Daar zitten wat mensen te eten', of: 'Daar zitten wat mensen zich af te vragen waarom we niet meer kantinepersoneel hebben'. Dus haalde ik de oude zin maar weer eens

van stal: 'O jee, Ev. We hebben dat dingetje.'

'O ja, dat is waar, het dingetje,' zei Ev. Omdat een vriend weet wat het betekent als een vriend een dingetje heeft.

'We hebben een dingetje in de stad,' zei ik tegen Mark. Misschien geloofde hij me, misschien ook niet, maar aangezien we overduidelijk een andere taal spraken, was het onmogelijk te raden hoe hij het opnam. Hoe dan ook, we gingen weg. 'Daar gaan een paar mensen weg.'

Dat gesprek was een amateuristische vergissing. Als je niet serieus wilt verkopen, moet je niet naar een acquisitiegesprek gaan, want zodra er een bod wordt gedaan, ben je verplicht dat aan de aandeelhouders voor te leggen om serieus te worden overwogen. Er zijn drie redenen waarom een ondernemer zijn bedrijf verkoopt, en die waren geen van drieën op ons van toepassing. Eén: je staat op het punt door concurrentie te worden verpletterd of de vergetelheid in te worden gedagvaard. Twee: je bent moe of hebt het wel gehad en je wilt gewoon geld zien. Drie: het potentieel van je bedrijf is, gekoppeld aan een ander bedrijf, vele malen groter dan wat je naar je eigen idee ooit in je eentje zou kunnen bereiken. (Om eerlijk te zijn, destijds deed Twitter het technisch gesproken zo beroerd dat we bijna in de categorie ondernemers vielen die maar beter kunnen verkopen omdat ze zowat failliet zijn. Het was misschien wel een goed idee geweest om met Facebook samen te gaan, maar we waren nog niet zover.)

Niet te geloven, maar binnen een week kwam Mark Zuckerberg bij ons met een bod. Het was een mengeling van contant geld en aandelen die alles bij elkaar kwamen op... tromgeroffel alstublieft... een half miljard dollar. Dat bedrag was uit de lucht komen vallen. Het was gewoon het hoogste bedrag dat ik kon verzinnen. Ik wist niet eens of er wel zo veel geld in de wereld was. Het was begonnen als een grap, en nu was het werkelijkheid. Over het creëren van je eigen kansen gesproken.

Het bod was een flinke schok, en reden voor een feestje bij Twitter. We belden met de raad van bestuur om te bespreken wat we moesten doen, en toen componeerde Evan een heel overtuigende brief aan de raad waarin hij uitlegde waarom we nog niet zover waren om te verkopen. Alle signalen wezen in de richting van het potentieel van Twitter om te slagen. We waren nog maar net begonnen. We dachten dat we een succesvol bedrijf konden bouwen, maar de enige manier om erachter te komen of dat ook klopte, was er helemaal voor te gaan.

De waarheid was dat we nog net zo gepassioneerd waren over Twitter als in het begin. We wilden ermee doorgaan. We speelden volgens onze eigen regels en waren bereid de consequenties te dragen als het hele bouwsel in elkaar stortte.

Ook nu weer, wat je ervan moet leren heeft niets te maken met mijn gedrag, waarvan ik de eerste ben om toe te geven dat het kinderachtig was, op de rand van onhebbelijk. Grappen maken over enorme bedragen geld en die dan voorstellen aan serieuze potentiële investeerders is niet de manier om aan een carrière of een bedrijf te werken. Waar het om gaat, is dat je moet vertrouwen op je intuïtie, zelfs als je kleiner en minder sterk bent dan de ander.

Een aantal maanden later werd Twitter, in een financieringsronde geleid door Benchmark Capital en Institutional Venture Partners, geschat op een waarde van tweehonderdvijftig miljoen dollar. Het bod van Facebook, gebaseerd op mijn grap, had onze waarde opgeschroefd. Wie had kunnen weten dat dat de manier is waarop het allemaal werkt? Ik had aangenomen dat er heel wat meer nodig was voor de waardebepaling van een bedrijf, maar het blijkt niet bepaald wetenschappelijk te zijn. Het begint met nul, en op een dag zie je jezelf in een ruimte zitten met mensen aan wie jij vertelt dat ze x procent van je halfbestaande bedrijf mogen hebben voor x miljoen dollar. Jij bepaalt zelf de getaxeerde waarde van je eigen bedrijf. Die waarde is verzonnen en wordt vervolgens bevestigd door wat mensen bereid zijn te investeren.

Op dit moment is Twitter ongeveer vijftien miljard dollar waard, maar op een dag kan dat honderd miljard zijn. Dat, meneer Zuckerberg, zijn echt heel, heel grote bedragen.

Ik geef tegenwoordig samen met een van de partners van Benchmark een MBA-college aan Stanford. Het belangrijkste leerpunt voor dit jaar is de volgende vraag: Had Benchmark in Twitter moeten investeren op hetzelfde niveau waarop het dat toen deed? De studenten doen onderzoek naar het bedrijf, de markt, de concurrentie en andere factoren van de waardebepaling. Een belangrijk punt in hun onderzoeksfase is het bod van een half miljard van Facebook, dat een factor was bij de bepaling van de prijs. Ik vind het altijd aardig om voor de groep studenten te gaan staan, te kijken naar al die serieuze, hardwerkende MBA-studenten en te zeggen: 'Weten jullie eigenlijk wel dat het een geintje was? Een idiote grap?'

Vier jaar later, in 2013, kocht Facebook Instagram voor een miljard dollar in contant geld en aandelen. Een miljard dollar! Op weg naar Palo Alto, in Evans Porsche, kon ik me een zo hoog bedrag niet eens voorstellen. Ik mag graag denken dat Mark Zuckerberg iets van zijn ontmoeting met ons heeft geleerd. Hij zou zich deze keer niet hebben kunnen indekken met een schamel bod in de orde van een half miljard in aandelen en contant geld bij elkaar. Waarschijnlijk heeft hij tegen Kevin Systrom, de schepper van Instagram, gezegd: 'Je hebt hier anderhalf jaar aan gewerkt. Ik bied je één miljard.' Ik bedoel: jong bedrijfje, snel inpikken. Wie kan daar nou nee op zeggen?

11

WIJSHEID VAN DE GROTE MASSA

Al in 2007 begonnen mensen de berichten in Twitter 'tweets' te noemen en de activiteit van het plaatsen van een bericht 'tweeten'. In vroege nieuwsartikelen merkte de taalpolitie deze evolutie op. Ik vond het geweldig. Intern en in het openbaar noemden wij ze gewoon *updates* of 'berichten' en de activiteit 'twitteren'.

In de sidebar van Twitter zie je je gebruiksgegevens, waaronder het aantal berichten dat je hebt gepost. Jason Goldman en ik spraken erover of we dat moesten veranderen in de *tweets* van de gebruikers en niet meer de *berichten*. Ik wilde de door de gebruikers bedachte terminologie nog niet meteen overnemen. Het is fantastisch om de gebruikers het eigenaarschap te geven over de nomenclatuur. Het is net zoiets als hoe van Google het werkwoord googelen is gevormd. Maar ik was bang dat als wij, het bedrijf, ze 'tweets' zouden gaan noemen, het voor de gebruikers net zou zijn alsof hun ouders zouden zeggen dat iets vet tof was. Ik wilde me niet met de magie bemoeien. Dus hadden we het in het openbaar nog maar niet over 'tweets' en veranderden we 'berichten' op de site nog niet in 'tweets'. Als ons werd gevraagd wat de terminologie was, zei ik altijd: 'De service heet Twitter en de activiteit heet twitteren.' (Dat deed ons later bijna de das om toen we het auteursrecht op het woord 'tweet' probeerden te deponeren, want er was weinig bewijs dat wij als bedrijf het woord gebruikten.) Uiteindelijk, in de zomer van 2009, toen het woord 'tweet' zo ingeburgerd was dat 'berichten' te algemeen klonk, zetten we de zaak door en veranderden we de terminologie op de website. Ik was dolgelukkig.

—

Op het gebied van luisteren naar de mensen die Twitter gebruiken, deden we ook waarover we het altijd hadden gehad. We keken naar gebruikspatronen overal in het systeem en bouwden functies die op die patronen waren gebaseerd. Larry Wall, die de programmeertaal Perl heeft bedacht, zei ooit: 'Toen ze ooit in Irvine de universiteit van Californië bouwden, zetten ze gewoon de gebouwen erin. Ze maakten geen trottoirs; ze zaaiden alleen gras. Het jaar daarna kwamen ze terug en legden ze de trottoirs aan waar de loopsporen in het gras zichtbaar waren. De taal Perl is net zoiets. Hij is niet ontworpen vanuit grondbeginselen. Perl is als die trottoirs in het gras.' Hashtags, @reply's en retweets zijn op precies dezelfde manier ontstaan.

Kort voordat we in 2007 naar sxsw gingen, kwam een man genaamd Chris Messina het kantoor binnenlopen. Chris is een vriend die destijds een internetadviesbureau had dat Citizen

Agency heette, en hij behoorde tot de vroegste Twittergebruikers. Ik zat net een heel grote taco te eten. Chris zei: 'Je zou iets moeten maken zodat als iemand #sxsw typt, dat dat dan betekent dat hij over South by Southwest zit te twitteren.'

Jason Goldman en ik luisterden beleefd naar Chris' idee, maar dachten stiekem dat het te nerd-achtig was om aan te slaan. Toch begonnen – misschien deed Chris dat wel – mensen algauw hashtags te gebruiken. Dat was al ongeveer een jaar aan de gang toen wij, in juli 2009, besloten het woord met de hashtag via een hyperlink automatisch aan de Twitterpagina met zoekresultaten voor dat woord te koppelen. Als je nu bijvoorbeeld op #sxsw klikte, kreeg je een pagina met alle zoekresultaten met diezelfde hashtag. Het was tamelijk eenvoudig te doen, dus ook al waren we er niet van overtuigd dat de mensen het zouden gebruiken, het kon geen kwaad om het uit te proberen. Het leek een best wel goede manier om resultaten voor een groep bij elkaar te zoeken. Tegenwoordig zijn hashtags zo gewoon dat ze ironisch worden gebruikt, in omgevingen die niets met Twitter of het koppelen van onderwerpen te maken hebben.

Tweeters kwamen ook met hun eigen methode om hun berichten aan een bepaalde persoon te richten, namelijk met behulp van het @-symbool. Als je je tweet bijvoorbeeld met @biz begint, betekent dat dat je het speciaal tegen mij hebt, ongeveer net zoals je in een groepsgesprek er even één bepaalde persoon uit kunt pikken. In 2007 begonnen we dit gedrag al te faciliteren door bijvoorbeeld de '@username' te koppelen aan een profiel en later aan een bepaald gesprek. Dit gebruik van het @-symbool was niet nieuw op internet. Op vroege chatfora werd het ook al gebruikt, om te verwijzen naar iemand die iets eerder in de thread had gezegd. Je typte dan: 'Ik ben het eens met wat @hamguy44 zei.'

Naarmate het gebruik van het @-symbool zich ontwikkelde, pasten wij de site aan. Mensen begonnen het symbool niet alleen te gebruiken om tegen een bepaalde persoon te praten, maar ook om ergens naar te verwijzen, zoals in:

Ik zat in @BART naar mijn werk.

In 2009 begonnen we naar @-antwoorden te verwijzen als 'meldingen', en we verzamelden ze op profielpagina's zodat iemand (of BART) makkelijk alle plaatsen kon zien waar hij, zij of het wordt genoemd. Later verzamelden we ze, zodat mensen een gesprek op Twitter konden volgen.

Retweeten was een beetje controversiëler. We merkten dat mensen, als ze een tweet leuk vonden, die kopieerden en in hun Twitterveld plakten. Als ze de auteur probeerden te vermelden, kwamen ze algauw boven het aantal karakters uit en dus moesten ze de oorspronkelijke tweet dan inkorten. Dan voegden ze 'RT' toe om aan te geven dat het een retweet was.

Wij zeiden: Oké, dat is een nuttige functie, want als een tweet goed is en mensen willen hem retweeten, dan kan zo'n goed idee worden verspreid. Maar dan moeten we een knop maken om het origineel op zo'n manier te retweeten dat je het niet kunt veranderen. Op die manier worden mensen niet verkeerd geciteerd. De tweet wordt dan namens jou gepost in zijn oorspronkelijke vorm. Omdat het via een knop gaat, is het ook makkelijker dan knippen en plakken, dat altijd zo omslachtig is. Populaire tweets kunnen zich dan echt heel snel verspreiden. Als er dus een bijzonder goede tweet is van iemand die zeventien volgers heeft, en ik retweet die met één druk op de knop naar mijn tweehonderd volgers, verspreidt de tweet zich als een lopend vuurtje.

Het maken van retweets tot een actie van één klik was ook voor ons nuttig omdat het dan te volgen was. Als iets heel vaak werd geretweet, was dat voor ons een teken dat het interessant of belangrijk was. We konden het retweeten gebruiken om populaire onderwerpen naar voren te halen. Uiteindelijk maakten we een optie die 'Ontdekken' heet en onder andere de vaakst geretweete tweets laat zien.

Eerst vonden mensen het irritant. Ze vonden het niet fijn dat ze een retweet niet meer konden wijzigen. Ze waren eraan gewend dat ze dat zelf konden bepalen en wilden dat ook zo houden. Maar we hielden voet bij stuk. Soms verzetten mensen zich tegen verandering. Op onze manier bleef de oorspronkelijke tweet in zijn geheel behouden, en de gebruikers en wij konden zo de route van een tweet blijven volgen en met zekerheid weten wie precies wat had gezegd. Iemand kon niet meer stiekem ingrijpen in een tweet van een ander. Dit is een voorbeeld van hoe we naar onze gebruikers luisterden, maar ook vasthielden aan wat naar onze mening het nuttigst was voor de gemeenschap en voor Twitter, in het vertrouwen dat ook de protesteerders dat gauw zouden inzien.

Dit is ware emergentie, de wijsheid van grote groepen: net zoals bij zwermvorming zie je hoe leden van een groep met elkaar keuzes maken. De diepere boodschap van de nomenclatuurevolutie was precies wat ik altijd tegen nieuwe Twittermedewerkers zei. Het was onze taak om op te letten, naar patronen te zoeken en open te staan voor het idee dat wij niet alle wijsheid in pacht hadden. Deze manier van zakendoen is onorthodox omdat je op veel traditionele fora gewoon niet zo'n rechtstreeks contact met je gebruikers kunt hebben. Als je een fabrikant van basketballen bent, kun je niet al je klanten met je bal zien stuiteren. Maar wij konden alle tweets wél zien. Het was onmogelijk om ze níét te zien. We konden ze niet allemaal lezen, maar ze rolden de hele dag over onze beeldschermen. Deze werkwijze was dus vooral belangrijk voor een werktuig als Twitter. We hadden het voordeel dat we konden zien hoe het werd gebruikt. We leerden er ruimdenkend door te worden.

Ik had gedacht dat ik een bedrijf aan het bouwen was dat trouw was aan mijn idealen, maar wat er in werkelijkheid gebeurde, was dat ik aan een merk had gebouwd. Het Twittermerk werd herkenbaar en sterk. We kregen zo veel media-aandacht en intellectuele hersenruimte dat we te vroeg werden geassocieerd met Facebook, maar in werkelijkheid waren we daar qua grootte slechts een fractie van.

Ons feestje ter gelegenheid van het eenjarig bestaan, in december 2008, vond plaats in de wijnruimte van Millennium, een vegetarisch restaurant in San Francisco waar we ook altijd de jubileumfeestjes van Odeo hielden. Met een stuk of tien medewerkers waren we als bedrijf klein genoeg om in het zaaltje achterin te passen. Laatst kwam ik de presentatie die ik op dat feestje heb gegeven nog tegen. We brachten nog steeds niet naar buiten hoeveel gebruikers we hadden. In werkelijkheid hadden we zo'n 685.000 geregistreerde gebruikers, vergeleken bij de 45.000 ten tijde van sxsw. Niet gek voor een project dat net een jaar aan de gang was. Maar in de media zoemde het rond dat we er tien miljoen hadden. Altijd als iemand mij naar het aantal vroeg, zei ik: 'Het aantal gebruikers doet er niet toe. Het enige wat van belang is, is dat de mensen Twitter interessant en nuttig vinden.' Het loonde dat we ons aan onze eigen regels hielden. Het merk was enorm groot voordat de service zelf enorm groot was.

Twee jaar later kwam de dag dat we de honderd miljoen gebruikers haalden, en vervolgens overschreden. In 2010, bij de eerste en enige Chirp Conference, een professioneel congres voor Twitterontwikkelaars, betrad ik het podium en zei ik hetzelfde als ik altijd zei: 'Het aantal gebruikers doet er niet toe. Het enige wat van belang is, is dat de mensen Twitter interessant en nuttig vinden.' Maar deze keer klikte ik terwijl ik dat zei op de knop 'Volgende' om een nieuwe slide te laten zien die ik net aan mijn presentatie had toegevoegd. Daar stond op: '140 miljoen'. Zelfs voor nederigheid is een plaats en tijd.

12

JE KUNT DE WAARHEID ECHT WEL AAN

In maart 2009 vierde ik mijn vijfendertigste verjaardag. Ik tweette:

> Vandaag ben ik jarig. Ik ben de dertig gepasseerd!

Een zurige roddelwebsite trapte erin en probeerde er iets van te maken, maar ik had mezelf alleen maar vermaakt met een van de oude spelletjes van mijn mentor Steve Snider: twee waarheden aanbieden die samen op een leugen neerkomen. Ik was eens met hem en zijn gezin gaan eten in Golden Era, een Chinees restaurant in Brookline, en iemand zei tegen hem: 'O, is dat je zoon?' Steve had geantwoord: 'Marlene en ik zijn in 1973 getrouwd en Biz is een jaar later geboren.' Twee ware maar los van elkaar staande uitspraken waarmee zijn antwoord op de vraag 'ja' leek.

In mijn begintijd als freelance ontwerper bouwde ik een website voor mijn bedrijf. Om de homepage een beetje op te fleuren scande ik een prachtige foto in uit de catalogus van Pottery Barn, met een adembenemend kantoor met uitzicht over een tuin. Op een dag ging ik naar een afspraak op een school. Het zou over een mooie opdracht gaan, een die ik echt wilde hebben: het ontwerp voor een hele serie boeken. De vrouw met wie ik sprak, zei: 'We vinden uw kantoor erg mooi.' In werkelijkheid werkte ik toen vanuit de bedompte kelder van mijn moeder, dus eerst snapte ik helemaal niet waar ze het over had. Toen drong het ineens tot me door: ze dacht dat die foto van Pottery Barn mijn kantoor was.

Ik loog niet. Tenminste niet echt. Ik zei alleen maar: 'O ja. Het is een droomkantoor.'

Toen Livia en ik nog maar kort in LA woonden, hadden we twee katten, ook al mochten we in onze flat geen huisdieren hebben. Livia maakte zich altijd zorgen dat de verhuurster zou komen kijken en de katten zou zien. Ik zei: 'Dan moet je dit doen. Als de verhuurster langskomt en zegt: "Ik zie dat u katten hebt", moet je zeggen: "We hebben vrienden die niet in de stad zijn. We zorgen voor die katten."' Beide zinnen zijn waar. We hadden hordes vrienden die niet in de stad waren, van onze tijd in Boston. En we zorgden zeer zeker voor die katten.

Wat ik wil zeggen, is dat ik zelfs op mijn vijfendertigste nog bereid was de waarheid een beetje op te rekken om de indruk te maken die ik wilde maken. Met andere woorden, ik was een beetje een hansworst. Maar het werd allemaal serieuzer.

13

HET 'GEEN HUISWERK'-BELEID

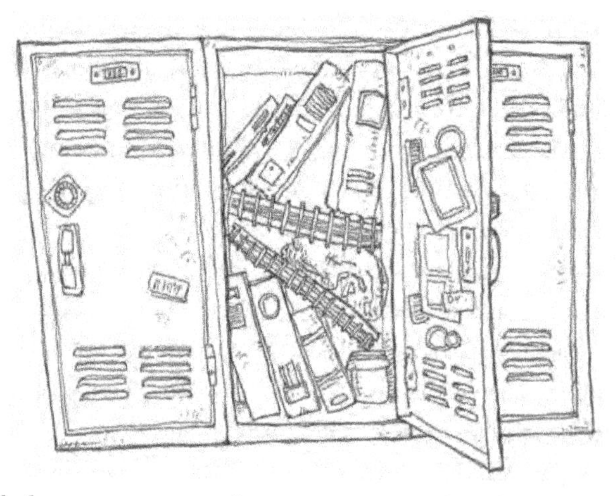

We deden mee, en – van hoe we op onze gebruikers reageerden via hoe we met overheden werkten tot hoeveel we waard waren – we moesten onze eigen regels maken.

Mijn vroegste ervaring met het maken van mijn eigen regels was toen ik naar de middelbare school ging. In de eerste weken van de eerste klas probeerde ik alles goed te doen. Ik deed precies wat mij werd verteld dat ik moest doen – en dat omvatte ook mijn huiswerk. Na lacrossetraining en mijn bijbaantje als boodschappeninpakker bij de plaatselijke supermarkt, was ik om ongeveer acht uur thuis. Dan werd er van mij verwacht dat ik at, mijn huiswerk maakte en ging slapen, zodat ik weer kon opstaan en het allemaal weer opnieuw zou doen.

De eerste weken van de eerste klas ploegde ik ijverig voort conform die opzet. Er moest een bepaalde hoeveelheid leeswerk worden verricht voor geschiedenis, sommen gemaakt voor wiskunde en vergelijkbare avondlijke opdrachten voor Engels, maatschappijleer, scheikunde, biologie en meer. De werklast werd steeds hoger, en ik ben niet bepaald een snelle lezer, of snel in wat dan ook trouwens. Sterker nog, het duurt bij mij meestal langer dan bij de meeste anderen om informatie op te nemen en aan opgaven te werken. Maar die eerste week was ik vastbesloten om het allemaal voor elkaar te krijgen. Als iedereen het deed, zou ik het ook doen.

Ik ontdekte algauw dat als ik probeerde al het huiswerk af te krijgen dat ik had opgekregen, dat voor mij inhield dat ik bijna elke nacht op moest blijven. Ik kon niet met lacrosse stoppen – ik had het team opgericht! En ik had mijn baantje nodig om aan het gezinsinkomen te kunnen bijdragen. De banen van mijn moeder, als ze die al kon krijgen, waren niet voldoende om van rond te komen. Ze had het huis waarin ze was opgegroeid al verkocht en verruild voor een minder huis, en de winst daarvan op de bank gezet zodat we geld hadden om van te leven. Daar hadden we even mee verder gekund, en toen moest ze het nog een keer doen. We zijn flink wat keren verhuisd. Toen ik naar de middelbare school ging, had het huis waarin we woonden echt nog een lemen vloer beneden en ongepleisterde muren. Ik kon dus in alle oprechtheid zeggen dat we 'aan de grond' zaten. Mijn moeder en ik deden ons best om in de weekenden het huis te verfraaien, maar we hadden altijd meer geld nodig.

Dat hele huiswerkgedoe ging dus duidelijk niet lukken. Ik besloot de touwtjes zelf in handen te nemen en een 'geen huiswerk'-beleid in te stellen. Mijn plan was simpel. Ik zou mijn uiterste best doen om bij elke les goed op te letten en me volledig te concentreren, maar ik zou mijn boeken niet mee naar huis nemen en ik zou het opgegeven huiswerk niet maken. Als het huiswerk was bedoeld als versterking van wat we in de les hadden geleerd, zou het allemaal wel goed komen met me, want ik zou er wel voor zorgen dat ik het allemaal in me opnam tijdens school. Toen ik eenmaal bij die oplossing was terechtgekomen, spoelde er een golf van opluchting over me heen. Het enige wat ik nu nog moest doen, was mijn nieuwe beleid kenbaar maken aan mijn leraren.

De volgende dag nam ik mijn plan een voor een met alle leraren door. Het gesprek verliep met ieder van hen ongeveer hetzelfde. Eerst zei ik goedemorgen en stelde ik mezelf nog een keer voor. Dan legde ik uit dat ik de afgelopen twee weken had geprobeerd al mijn huiswerk te doen. (Mogelijk heb ik ook een hint gegeven dat de leraren misschien wat meer met elkaar zouden kunnen overleggen over de hoeveelheid huiswerk die ze aan de leerlingen opgaven.) Ik vertelde dat ik voor het huiswerk tot ongeveer vier uur 's morgens nodig had gehad. Tot mijn spijt was ik niet in staat om dat vol te houden. Vervolgens presenteerde ik mijn 'geen huiswerk'-beleid.

Sommige docenten moesten lachen, maar uiteindelijk zeiden ze allemaal, ieder op zijn eigen manier, dat als ik dit echt wilde doorvoeren, dat goed was, maar dat het wel van invloed zou zijn op mijn eindcijfer. Ik was bereid daarmee te leven.

Vanaf dat moment deed ik geen huiswerk meer. Ik lette op in de klas en deed mijn best om de materie in me op te nemen. Uiteindelijk, misschien omdat ik zo eerlijk was geweest en zo duidelijk in mijn overbrenging van het beleid, straften mijn docenten mijn houding toch niet af. Met andere woorden, mijn 'geen huiswerk'-beleid had geen negatief effect op mijn eindcijfers. Het was dus feitelijk een enorm succes.

Ik herinner me nog heel goed de reactie op dat beleid van een van mijn vriendjes van de middelbare school. Matt was een heel goeie leerling, maar het ging hem toch niet moeiteloos af. Hoewel hij heel hard werkte, maakte hij zich toch behoorlijk zorgen over proefwerken en overhoringen, en over zijn cijfers in het algemeen. Aan het eind van een bepaalde dag, midden in de eerste klas, stonden we allebei bij ons kastje. Matt stond zijn rugzak vol te laden met boeken, ik dumpte al mijn boeken juist vanuit mijn rugzak in mijn kastje; ik zou ze pas terugzien als ik de volgende dag weer op school kwam.

Terwijl ik mijn kastje dichtdeed en het Matt duidelijk werd dat ik geen boeken bij me had, en ook geen rugzak meer, vroeg hij hoe ik mijn huiswerk dan ging doen.

'O,' zei ik. 'Ik hanteer een "geen huiswerk"-beleid.'

Matt keek me ongelovig aan. Hij lachte zenuwachtig. 'Je maakt een geintje.'

'Matt,' zei ik (ik wilde hem een beetje plagen), 'we zijn hier in Amerika. We kunnen doen wat we willen. Vrijheid. Ik heb een "geen huiswerk"-beleid en dat is geweldig fijn.'

Ik sloot mijn kastje met ongebruikelijke nadruk af en zette onbezwaard koers naar de lacrossetraining.

Ik was niet per se tegen regels, ik keek alleen graag naar het grotere plaatje. Tot vier uur 's morgens opblijven was niet realistisch. Er moest íéts wijken.

De moraal van dit verhaal is niet 'brutaal joch doet zijn huiswerk niet meer en komt daar nog mee weg ook', hoewel dat oppervlakkig gezien wél precies is wat er gebeurde. Huiswerk wordt over het algemeen als nuttig beschouwd, en het is verre van mij om er een eenmanscampagne tegen te voeren. (Niet nu, in elk geval. Kom nog maar eens met me praten als mijn eigen kind twaalf is.) Maar ik had een idee om het op een andere manier aan te pakken, een idee dat voor mij beter werkte. Het kon geen kwaad dat aan de school voor te leggen. Er was geen risico als ik dat probeerde. Het nut van school is tenslotte niet dat je huiswerk doet. Het nut van school is dat je iets leert. Toen ik dat besefte, hoefde ik me niet meer druk te maken over cijfers. Naarmate ik langer op school zat, concentreerde ik me meer op het leren van wat ik inspirerend vond. Ik kon dus een 'uitstekend' hebben voor erfelijkheidsleer en een 'net voldoende' voor een makkelijk vak. Ik was absoluut geen modelleerling, maar ik koos mijn weg weloverwogen en bewust. Het bleek een vergissing om aan te nemen dat docenten automatisch wisten wat voor mij het beste was – of andere mensen, trouwens. Als ik het wederzijds goed bevonden doel beter volgens mijn eigen werkwijze kon bereiken, was die dan niet de moeite van het proberen waard?

In elk geval is het zo dat kansen als deze makkelijker te herkennen en te implementeren zijn op de werkplek. Werk je het best in een weinig verlichte ruimte? Presteer je meer na een middagdutje? Zou je aan een nevenproject willen werken dat voor jou interessanter is? Is er een andere manier waarop je over je werk kunt denken? Regels bestaan om ons te helpen: om een cultuur te creëren, de productiviteit te stroomlijnen en succes te bevorderen. Maar we zijn geen computers die moeten worden geprogrammeerd. We zijn met z'n allen een stelletje rare snuiters. Als iemand gezaghebbend is, hoeft dat nog niet te betekenen dat hij het beter weet. Als je je bazen en collega's met respect tegemoet treedt, en je hebt je doelen goed op orde, is er vaak ruimte voor een beetje aanpassing en flexibiliteit. En aan de andere kant, mensen die in de positie zijn om macht over anderen uit te oefenen, zouden die anderen niet moeten dwingen zich alleen maar aan een plan te houden vanwege het protocol. De oplossing is altijd dat je goed luistert – naar je eigen behoeften en naar de behoeften van de mensen om je heen.

Mijn dwarse natuur speelde weer op toen ik naar mijn eerste bal van de middelbare school ging. Normaal gesproken was ik niet dol op de sociale uitdaging van middelbareschoolactiviteiten – vooral niet op dansavonden. De angst- en verlegenheidsquotiënten waren gewoon te hoog. Plus mijn vrienden en ik waren nerds, dus elke vrije minuut die we hadden, brachten we liever door met stripboeken lezen of gamen.

Tegen het einde van mijn laatste jaar op school drong het echter ineens tot me door, toen mijn vriend Jay en ik bij hem op zolder Batmanboekjes zaten te lezen, dat het allerlaatste dansfeestje waar we ooit nog als middelbare scholieren naartoe konden, stond gepland voor precies die avond. Ik legde mijn boek neer.

'Jay, we mogen het dansfeest vanavond niet missen.'

Hij keek met enige verrassing op. We hadden tenslotte altijd de dansfeestjes gemist. 'Waarom niet?' zei hij.

'Het is een overgangsrite. Dit is onze laatste kans.' Ineens was ik helemaal bezield. Ik hield een geïmproviseerde toespraak over hoe belangrijk dit moment was en hoe we dat niet voorbij konden laten gaan zonder er de rest van ons leven spijt van te hebben. Twintig jaar later, als we oude mannen van achtendertig zouden zijn, zouden we in een schommelstoel gezeten op de veranda van ons huis ergens in het land ons hoofd teleurgesteld schudden bij de tragische keuzes van toen we jong waren. (Maar, mijmerde ik even, we zouden tegen die tijd zeker een auto hebben en daarin mogen rijden. Tof!) Nee echt, we moesten naar die dansavond.

Jay zuchtte en legde zijn stripboek weg. Hij kon wel zien dat ik dit niet aan me voorbij zou laten gaan.

Zelfs nu Jay enigszins overtuigd was, was het ingewikkeld om deze beslissing op het allerlaatste moment ten uitvoer te brengen. Het was al 20.40 uur en de deuren naar het dansgebeuren sloten over twintig minuten. Er was een strenge regel dat niemand meer werd toegelaten na 21.00 uur. We hadden geen van beiden een rijbewijs of een auto. We zouden met de fiets moeten en flink door moeten rijden om op tijd te komen. We peddelden als idioten door de straten van Wellesley, maar toen we vlak bij de schoolkantine waren en ons al voorbereidden op het betalen van onze zes dollar toegangsprijs, zagen we dat de deuren dicht waren. En vóór de deuren, als een cipier, stond de adjunct-directeur. We waren twee minuten te laat, meer kon het niet zijn.

Hijgend wist ik uit te brengen: 'We komen voor de dansavond.'

'Jullie zijn te laat. De deuren zijn al dicht,' zei de adjunct-directeur droog.

'Oké, ik begrijp het,' zei ik.

Jay schonk me een verbaasde blik. Hij kende me goed genoeg om zich af te vragen waarom ik na mijn gepassioneerde voordracht ons niet gladjes naar binnen begon te praten. Normaal gesproken zou ik dat ook wel hebben gedaan, maar ik kon aan de manier van doen van de adjunct-directeur wel zien dat die aanpak vanavond niet bruikbaar was.

Ik draaide me om en zei: 'Kom Jay, we gaan wel wat anders doen.'

Jay vermoedde dat ik iets van plan was, en hij had gelijk. Zo gemakkelijk zou ik het niet opgeven. We móésten naar dat dansfeestje toe. Mijn besluit stond nog net zo vast als het de afgelopen tweeëntwintig minuten had gedaan. Terwijl we van de deuren en de adjunct-directeur wegliepen, mompelde ik tegen Jay: 'We komen er echt wel in.'

We slopen naar de andere kant van de kantine, waar enorme tuimelramen waren. Die zouden vast wel open zijn, ter ventilatie van een kantine vol zweterige tieners. Naar binnen klimmen zou een eitje zijn.

Ja hoor, de ramen waren open. We glipten naar binnen. Een paar kinderen merkten het, maar wat maakte hun dat uit?

'We zijn binnen, Jay. Dit is het. Onze allerlaatste dansavond van de middelbare school. Laten we er wat van maken!'

In ons heel snelle voorbereidingsgesprekje hadden Jay en ik besloten dat we alle onzekerheid opzij zouden schuiven, een vals vertoon van moed zouden aannemen (een vroege manifestatie van Biz Stone, genie) en de meisjes op wie we altijd al een beetje gek waren geweest, ten dans zouden vragen. We draaiden ons om om dat nou eens te gaan doen – en daar was hij. Adjunct-directeur Spelbederver. Zijn mond viel open toen hij ons zag. Gesnapt. Hij gelastte ons hem naar boven te volgen naar zijn kantoor.

We sjokten de trap op, eerst de adjunct-directeur, daarna ik en Jay sloot de rij. Toen we boven kwamen en door de gang naar zijn kantoor begonnen te lopen, kreeg ik ineens een idee. Wat er ook gebeurde, ik zou bij mijn plan blijven, verdraaid als het niet waar was. Terwijl de adjunct-directeur kordaat voorwaarts marcheerde, draaide ik me om en ging de trap weer af.

Ik glipte langs Jay en fluisterde: 'We doen het tóch.'

Jay aarzelde even, verstijfd, ogen wijd open. Op dat moment moet de adjunct-directeur zich hebben omgedraaid. Hij schreeuwde iets naar beneden in de richting van de wolk stof die ik had achtergelaten. Jay sprong achter me aan. De jacht was begonnen!

Ik sprong met een paar treden tegelijk de trap af en botste onderaan gekomen op een van mijn beste vrienden, Marc Ginsburg. Marc en ik waren samen opgegroeid. Als jochie had ik zo ongeveer bij hem thuis gewóónd. Zijn vader was een succesvolle tandarts, en dus had hij voor het gezin een Apple IIe gekocht die wij de hele tijd gebruikten. Marc was langer dan ik, maar hij had ongeveer hetzelfde haar en hetzelfde postuur. Toen ik hem zag, zei ik: 'Vraag niet waarom, maar geef me gauw je T-shirt en trek zelf het mijne aan.'

Marc, een echte vriend, gehoorzaamde meteen en zonder iets te vragen. Algauw had hij mijn zwarte T-shirt aan en ik zijn gele T-shirt. Ik draafde uit het zicht en draaide me op een veilige afstand om om te kijken hoe de adjunct-directeur Marc bij zijn schouder greep, hem met een snelle beweging omdraaide en zich verontschuldigde toen hij zich realiseerde dat hij de verkeerde jongen te pakken had.

Tijdens die confrontatie was Jay in de veiligheid van de menigte ondergedoken, waar we weer bij elkaar kwamen.

Het was gelukt.

We kwamen meteen ter zake. Die avond lukte het me met alle drie de meisjes te dansen op wie ik verliefd was, maar met wie ik al die jaren op school uit verlegenheid niet in gesprek had durven komen. Ik kreeg zelfs van elk van hen een kusje. Jay verging het ongeveer net zo, en ik voelde me gerehabiliteerd. Onze schooljaren liepen ten einde en voor de eerste keer in mijn leven wist ik niet wat er zou komen. Het te blanke doek van mijn toekomst liet me koud, maar vanavond maakte ik er tenminste iets van. Het dansfeest bleek alles te zijn wat we wilden. Wat voor straf we ook zouden krijgen, het was het waard.

Op maandag zouden we de consequenties onder ogen zien. Jay en ik moesten bij de directeur in zijn kantoor komen. Hij vertelde ons dat we geschorst werden. Dat hield in dat we de hele dag in verschillende ruimtes moesten zitten, geen lessen mochten volgen en natuurlijk zouden we een aantekening krijgen in ons 'permanente dossier'. (Bestond er echt zoiets? En zo ja, in welke bewoordingen stond daar dan mijn 'geen huiswerk'-beleid in geboekstaafd, vroeg ik me meteen af.) We moesten ook een opstel schrijven over wat we misdaan hadden, waarna we allebei een verplicht bezoek moesten afleggen aan de schoolpsycholoog.

Dat klonk me allemaal volkomen redelijk in de oren. Sterker nog, het was een veel lichtere straf dan ik had verwacht. Ik was vooral in mijn nopjes met het opstelonderdeel. Ik was gek op opstellen schrijven. Toen ik in het lege strafwerklokaal ging zitten om het opstel te schrijven, besefte ik zelfs ineens dat dit voor mij het volmaakte forum was om uit te leggen waarom in dit specifieke geval het overtreden van de regels door ons geheel en al gerechtvaardigd was en het helemaal waard was geweest. Regels zijn er om een bepaald doel te dienen, maar wat Jay en mij betrof was het 'deuren dicht om 21.00 uur 's avonds'-beleid zinloos. Voor ons was dat machtsmisbruik. We waren geen onruststokers. Niemand had er verder last van gehad dat wij te laat waren. Het dansfeestje was voor ons belangrijk, en gesteld voor het gebrek aan flexibiliteit van de adjunct-directeur hadden we geen andere keus gezien dan hem te weerstaan en de gevolgen te riskeren. Nu voerden we gewillig onze straf uit. Ten overvloede voegde ik er nog een paar verwijzingen naar burgerlijke ongehoorzaamheid uit de les maatschappijleer aan toe. Ik hoopte maar dat Jay hetzelfde zou doen.

Later op die dag was het mijn beurt om bij de schoolpsycholoog langs te gaan. Ik klopte op haar deur. Ze zei dat ik binnen kon komen en moest gaan zitten. Dat deed ik. Even was het stil. Toen stak ze van wal en zei hoe overtuigend mijn opstel was en hoe ze het wel eens moest zijn met de door mij genomen beslissingen.

Toen ik aan het eind van de dag Jay weer zag, was ik opgetogen te horen dat hij in zijn opstel dezelfde aanpak had gekozen. Regels overtreden betekende niet het eind van de wereld. We waren voor onze rechten opgekomen tegen de regeltjes in, en we hadden gewonnen. Er was geen kwaad geschied, en dus was het geen overtreding. Het was een kleine ongehoorzaamheid, maar een belangwekkend moment voor een tiener. Ik wist het verschil tussen goed en kwaad. Maar nu zag ik dat ik op mijn eigen morele oordeel kon vertrouwen. De regelmakers waren feilbaar, net zoals ik, en ik had alle recht om hen uit te dagen. Als ik bereid was de consequenties te dragen, kon ik het spel volgens mijn eigen regels spelen.

Vertrouw op je intuïtie, weet wat je wilt en geloof in je vermogen om je wensen te realiseren. Regels en conventies zijn belangrijk voor scholen, bedrijven en de maatschappij in het algemeen, maar je moet ze nooit blind opvolgen. En het helpt altijd om een gelijkgestemde medeplichtige te hebben.

14

DE NIEUWE REGELS

Zestien jaar later was ik nog steeds dezelfde jongen die vond dat hij niet naar de adjunct-directeur hoefde te luisteren. Mijn intuïtie volgen betekende nu niet alleen mijn huiswerk niet meer maken, stiekem op schooldansfeestjes binnenkomen en de waarde van ons bedrijf bepalen aan de hand van een geintje terwijl ik in een verkeerd overhemd op de bijrijdersstoel van een Porsche zat. Het betekende nu aan een bedrijf bouwen waarin ik kon geloven. Zoals gezegd, ik was echt gepassioneerd over het product, maar ik was ook gepassioneerd over wie wij als bedrijf waren: wat onze cultuur was en hoe we die konden behouden naarmate we groeiden. Het ging er niet om dat ik de regels wilde overtreden. Het ging erom onze eigen regels te creëren. Ik maakte Twitter tot een bedrijf dat trouw was aan mijn eigen overtuigingen.

Het onofficiële interne motto bij Google is 'Don't Be Evil', 'Wees niet slecht'. De gedachte daarachter is dat het bedrijf iets goeds in de wereld moet doen zelfs als dat betekent dat het afstand moet doen van kortetermijnwinst. Het is niet het slechtste motto – ik bedoel, het had ook nog 'Wees slecht' kunnen zijn – maar er zit speelruimte in 'Wees niet slecht'. Het motto klinkt moreel oprecht. Het impliceert: 'We hebben de macht om slecht te zijn, maar laten we daar geen gebruik van maken.' Aforismen met een ontkenning erin zijn echter zwak. Het motto van Nike is 'Just Do It', 'Gewoon doen!', en niet 'Don't Just Sit There', 'Blijf daar niet zo sullig zitten'. Met het motto meet Google zijn daden af op een schaal van slecht in plaats van op een schaal van goed. Daar zeg ik dan op: gefeliciteerd, je bent niet slecht geweest, en laten we nu eens kijken hoe goed je kunt zijn.

Iets anders wat ik ontdekte toen ik bij Google werkte, was dat we een verschillende benadering hadden van het raakvlak tussen mensen en technologie. Google bestaat helemaal uit genieeën. Die mensen zijn fantastisch in het ontwikkelen van technologie. Ze maken bestuurderloze auto's. Echt waar, dat zijn auto's die helemaal vanzelf kunnen rijden, zonder een mens aan het stuur. Een knap staaltje techniek, maar ook een typisch voorbeeld van de wereld van Google, waar technologie de oplossing van elk probleem is. Toen ik daar werkte en in mijn pauzes wat door de gebouwen liep, mocht ik graag in de kantoren naar binnen gluren. Een keer keek ik ergens naar binnen en zag ik een man zonder schoenen aan. Hij zat midden op de vloer met allerlei gedemonteerde harddiskrecorders en tv's om zich heen.

Ik zei: 'Wat zit je te doen?'

Hij zei: 'Ik zit alles op te nemen wat er op alle kanalen ter wereld wordt uitgezonden.'

'O ja,' zei ik, 'vooral doorgaan, belangrijk werk,' en ik verliet langzaam achteruitlopend de ruimte.

Een andere keer kwam ik in een enorme zaal vol mensen terecht die zaten te werken aan wat eruitzag als naaimachines met voetbediening. Elke machine zond een reeks fluorescerende lichtflitsen en zoemtonen uit. Het leek er wel op een geavanceerde sportschool. Ik keek wat beter. Tussen de lichtflitsen door zaten deze 'kleermakers' de bladzijden van boeken om te slaan: die werden gescand. Toen ik vroeg waar dit toe diende, zeiden ze dat ze elk boek aan het scannen waren dat ooit was uitgegeven. Weer verliet ik langzaam achteruitlopend de ruimte. Ik verliet een heleboel ruimtes bij Google langzaam achteruitlopend.

Google richt zich heel sterk op technologie, en dat past ook heel goed bij het bedrijf. Mijn ervaring daar was dat ze eerst de technologie bestelden en daarna de mensen.

Ik geloof in het tegenovergestelde. Niet alles draait om hoeveel servers je hebt of hoe geraffineerd je software is. Die dingen zijn wel belangrijk, maar wat een technologie echt betekenisvol maakt – voor gebruikers en medewerkers – is hoe mensen die gaan gebruiken om er een verandering in de wereld mee tot stand te brengen.

Ik bedoel niet dat Google met de vuilnisman mee kan. Ze zijn briljant, dat is overduidelijk. Alleen liggen mijn prioriteiten nét iets anders. Mensen komen vóór technologie.

Toen Twitter snel begon te groeien, besloot ik dat we nieuwe medewerkers het best in onze cultuur konden laten passen door ze een lijstje met stellingen te geven waarvan ik wilde dat ze die in hun werk met zich meenamen.

De hele dag komen we tot stellingen en veronderstellingen over de wereld waarin we leven en de mensen die er wonen.

Die vent die je op de invoegstrook van de snelweg afsneed, is een klootzak. De collega die niet afkreeg wat ze had beloofd, is niet op haar taak berekend. Als ik de hele week zou besteden aan een probleem, is mijn voorstel beter dan dat van iemand die doodleuk te laat de vergadering in komt wandelen en er een geïmproviseerd alternatief uitgooit. Waar het echt om gaat bij alle bedrijven, met uitzondering van non-profitorganisaties, is het resultaat onder de streep.

Als we gaan graven naar wat er achter onze veronderstellingen zit, vinden we geen kennis of wijsheid, maar angst. We zijn bang dat we door de ideeën van andere mensen minder slim zullen overkomen. We zijn bang dat als we iets aan een product veranderen het niet op tijd af is. We zijn bang dat die kerel die ons afsneed tegen onze auto aanrijdt. We zijn bang dat als we onze winst niet maximaliseren het bedrijf het niet goed doet. Sommige van deze angsten zijn redelijk. Wie wil er nu een auto-ongeluk meemaken? Maar angst zonder kennis brengt redeloosheid voort. Denk maar aan het oude, universele geloof dat onweer betekent dat de goden boos zijn. Met die veronderstelling komen mensen niet ver. Misschien zouden ze uitkijken dat ze niet door de bliksem worden getroffen. Maar zijn ze erdoor geholpen om te ontdekken hoe ze elektriciteit konden leiden? Ik dacht het niet.

Toen ik klein was, was ik bang in het donker. Ik leed aan de klassieke kinderangst dat er monsters onder mijn bed lagen. Een tijdlang had ik een afspraak met de monsters. Ik geloof volkomen in jullie, liet ik hun via telepathie weten. Dus jullie hoeven niet tevoorschijn te komen om dat te bewijzen. Ik zit al bij de club. Het leek erop dat dat hen op een afstand hield, maar zelfs ík kon wel zien dat dat maar tijdelijk was.

Na enkele maanden doodsangst kreeg ik een idee. Ik besloot een eind aan mijn lijden te maken. Mijn plan was heel eenvoudig. Ik zou mijn kamer in gaan en het licht niet aandoen – ik zou mezelf dus blootstellen aan alle verschrikkingen die het donker voor me in petto had. Als er monsters waren, was dit hun grote kans om mij aan te vallen. Mijn theorie ging als volgt: als ze me aanvielen, nou ja, dan zou dat behoorlijk erg zijn. Aan de andere kant, peinsde ik, als de monsters me zouden aanvallen, dan zou dat betekenen dat er echt monsters bestaan – wat een fantastische ontdekking zou dat zijn. Jawel, eerst wel even eng, maar stel je voor! De sensatie van het ontdekken van het bestaan van een hele bovennatuurlijke wereld daar ergens buiten de onze lag onmiddellijk binnen handbereik. Ik hoefde alleen maar een monsteraanval te doorstaan van een onvoorspelbaar formaat, en deze kennis zou de mijne zijn – mogelijk maar een fractie van een seconde, voordat ik aan flarden werd gescheurd en in de kleinejongetjesstamppot terechtkwam, maar toch. Die avond liep ik mijn kamer binnen zonder het licht aan te doen. Ik stond in het donker te wachten. Niets. Geen monsters. Geen aanval. Geen wereldveranderende ontdekking van niet-menselijke levensvormen. En ook, vanaf dat moment, niet meer bang voor het donker.

—

We moeten altijd naar kennis streven, zelfs in het aangezicht van de angst. En dus gaf ik de Twittermedewerkers een lijstje stellingen waarvan ik hoopte dat het een vervanging van hun angst zou zijn en hen eraan zou herinneren dat ze een open geest moesten houden, kennis moesten najagen en het grotere plaatje voor ogen moesten houden.

Als we bij Twitter nieuwe medewerkers kregen, spraken Evan en ik altijd eerst even met hen. We namen dan de tijd om te vertellen hoe het bedrijf was begonnen, en we legden ze de volgende zes stellingen voor:

Zes stellingen voor Twittermedewerkers

1. We weten niet altijd wat er gaat gebeuren.
2. Er zijn daarbuiten meer slimmeriken dan hierbinnen.
3. We zullen winnen als we de juiste dingen voor onze gebruikers doen.
4. De enige deal die de moeite waard is, is een win-windeal.
5. Onze collega's zijn slim en hebben goede bedoelingen.
6. We kunnen aan een bedrijf bouwen, de wereld veranderen én plezier hebben.

WE WETEN NIET ALTIJD WAT ER GAAT GEBEUREN

Als we denken dat we weten wat er komt, zullen we niet erg succesvol zijn. We moeten dus de deur openlaten voor onbekende ontwikkelingen en verrassingen. Enkele van de populairste functies van Twitter (hashtags, @reply's, retweets) zijn grotendeels tot stand gekomen door gebruikers. Wij wisten niet dat ze zouden ontstaan. Door open te staan voor het onbekende, door niet onze wil of visie aan de gebruikers op te leggen omdat we ze nu eenmaal hadden, door te kijken wat mensen deden en door naar patronen te zoeken konden wij een service bouwen die werkte zoals de mensen hem wilden gebruiken.

Het kernelement van deze stelling is nederigheid. Dat jij nou voor een succesvol bedrijf werkt, betekent nog niet dat jij alles weet. Als individu en als bedrijf zien we onze kansen stijgen en dalen. Succes noch rijkdom maakt je alwetend. Het vermogen om te luisteren, te kijken en lessen te trekken uit voor de hand liggende en onwaarschijnlijke gebeurtenissen brengt oorspronkelijkheid en groei voort.

ER ZIJN DAARBUITEN MEER SLIMMERIKEN DAN HIERBINNEN

Deze stelling bevat ook een kern van nederigheid: denk niet dat je zo geniaal bent (zelfs niet als je visitekaartje beweert van wel). Maar deze stelling heeft ook te maken met het simpele feit dat er, toen we dit lijstje met stellingen opstelden, vijfenveertig mensen bij Twitter op kantoor waren en zes miljard mensen buiten de bedrijfsmuren. Het was een waarheid als een koe dat er meer slimme mensen buiten waren dan binnen.

Dit betekent dat we niet alleen naar binnen moeten kijken voor antwoorden op uitdagingen. Ik gaf onze medewerkers de opdracht elders te zoeken. Aan mensen te vragen. Om zich heen te kijken. Te onderzoeken. Tot een afgewogen oordeel te komen. Niet denken dat je geweldig bent. Niet aannemen dat wij de enigen zijn die onze problemen kunnen oplossen. Moeten we een datacentrum bouwen of heeft iemand anders al een beter datacentrum gebouwd?

Deze overtuiging heeft bepaalde implicaties. Je eerste idee is niet altijd het beste. Jouw idee is niet altijd het beste. De ideeën van onze groep zijn niet altijd de beste. Het is niet zo moeilijk om het in theorie met dit idee eens te zijn, maar het is veel moeilijker je trots in te slikken als je een idee van jezelf moet loslaten waar je zo voor hebt gevochten. Ik wilde dat ons bedrijf die offers zou erkennen en op waarde weten te schatten, hoezeer we de geweldige ideeën ook toejuichten.

WE ZULLEN WINNEN ALS WE DE JUISTE DINGEN VOOR ONZE GEBRUIKERS DOEN

Ik ben niet dol op het woord 'gebruikers', want dat klinkt zo software-achtig, maar de Twittermedewerkers wáren ook behoorlijk software-achtig en dus sprak ik wel in hun taal. Ik wilde dat ze altijd in gedachten zouden houden wat Twitter beter zou maken voor de mensen die er gebruik van maakten. Het was het positief van 'Wees niet slecht'. Telkens als we een besluit namen over wat we moesten toevoegen, veranderen of verwijderen in ons product, was de grote, eenvoudige vraag: wordt de ervaring hier voor de mensen beter van?

Na mijn vertrek (waarover later meer) heeft Twitter Vine overgenomen, een mobiele service om filmpjes te delen. Ik had het idee dat dat een geweldige overname was. Als de vraag is: wordt de ervaring hier voor de mensen beter van?, dan is het antwoord duidelijk ja, want met het delen van filmpjes wordt Twitter leuker, aantrekkelijker en makkelijker voor mensen om zich uit te drukken.

Vaak als productmanagers proberen uit te zoeken of een product iets bepaalds zou moeten doen en ze komen er niet uit, maken ze er een functie van die de gebruikers zelf aan of uit kunnen zetten. Maar dat is slap. We weten – alle ontwikkelaars weten dat – dat meer dan 99 procent van de mensen gewoon alles op de defaultwaarde laat staan. Hoe vaak duik jij in je tv-instellingen om het contrast te vergroten? Als je een functie optioneel maakt, is dat net zoiets als die functie in de la met losse rommel gooien. Je doet het niet weg, maar het is in wezen zinloos en uit beeld. Nee, het is ónze verantwoordelijkheid om te beslissen wat nuttige functionaliteit is. Als we het gaan bouwen, laten we het dan ook gebruiken.

Waar bedrijven het vaakst uit het oog verliezen wat het beste is voor hun klanten, is als het om het verdienmodel gaat. Moeten we de advertenties 50 procent groter maken zodat we meer geld kunnen verdienen? De internetpagina wordt dan wel lelijker en moeilijker te lezen. Is dat goed voor de gebruikers? Nee. Moeten we ons bedrijf splitsen over twee verschillende gebouwen omdat we ons niet één gebouw kunnen veroorloven? Dat leidt tot verwarring en slechte besluiten als het om onze producten gaat. Is dat goed voor onze gebruikers? Nee. Moeten we de gebruiker tegen tegen wat hij eigenlijk wil in op een advertentie laten klikken? Natuurlijk niet. Moeten we onze gebruikers verleiden om ergens op te klikken? Nee, zeg! Dit kunnen moeilijke keuzes zijn, vooral als je het geld echt goed kunt gebruiken. Maar er móét een andere manier zijn. Creativiteit is een hernieuwbare hulpbron. Pleeg geen verraad aan je product. Blijf nadenken. Kijk of de gemiddelde persoon er voordeel van zal hebben. Meet elke beslissing af aan die eis.

Ons falen in 2007 rondom het uitbrengen van ons platform voor ontwikkelaars is daar een perfect voorbeeld van. Als we vanaf het begin het belang van de gebruiker op de eerste plaats hadden laten staan, zouden we onszelf, de gebruikers en de ontwikkelaars een heleboel last hebben bespaard.

Toen we echter gesponsorde tweets op de markt brachten, deden we het goed. We lieten onze advertenties volgen door een algoritme dat aan de hand van sterren, retweets en doorklikken mat hoeveel belangstelling mensen voor een bepaalde advertentie hebben. Als een advertentie geen positieve respons kreeg, kon die worden ingetrokken. Dat betekende dat we onze gebruikers advertenties konden aanbieden die zij leuk vonden. Advertenties plaatsen was goed voor onze gebruikers omdat Twitter er geld mee verdiende en dus kon blijven bestaan.

DE ENIGE DEAL DIE DE MOEITE WAARD IS, IS EEN WIN-WINDEAL

Een goede deal waarbij een van de partijen aan het kortste eind trekt, bestaat niet. Deals zijn net als relaties. We willen dat deals blijven bestaan. Ik heb het niet alleen over het kopen van een ander bedrijf. Ik heb het ook over een partnerschap aangaan met een ander bedrijf, opdrachten binnen je eigen groep verdelen, of gaan trouwen. Denk aan wat derivaten de Verenigde Staten hebben gekost in de hypothekencrisis. Derivaten zijn een spel met nul als uitkomst: als de ene partij wint, verliest de andere partij. Er is geen netto profijt. Het is een zaak van win-verlies. Ik stel het nu natuurlijk even te simpel voor, maar over het algemeen berusten markten op winst en verlies. In een zakelijke deal zal winst op de korte termijn echter veranderen in verlies op de lange termijn als de voorwaarden niet gunstig zijn voor beide partners. Je verliest het vertrouwen van dat bedrijf in jou en de bereidheid van dat bedrijf om verder zaken met je te doen. Je verliest de bereidheid van je collega's om langer door te werken en je te helpen een deadline te halen. In zekere zin staan bij elke deal jouw reputatie en je bedrijf op het spel. Denk maar aan duiken. De druk binnen in en buiten je lichaam moet gelijk zijn, want anders barsten je longen en trommelvliezen. In alle eerlijkheid: ik heb nog nooit aan duiken gedaan, maar je kunt me rustig geloven als ik zeg dat gebrek aan evenwicht slecht is.

Kevin Thau, een collega in mijn huidige bedrijf Jelly, regelde alle mobiele zaken voor Twitter. Destijds deed hij alle deals met de providers. Onlangs kreeg hij een bericht van iemand die een belangrijke mobiele provider leidt in Groot-Brittannië. Er stond in: 'Ik weet niet wat Jelly is, maar als je wilt dat we het vast op onze nieuwe telefoons installeren, bel me dan even.' Geen mens krijgt zo'n bericht als hij er niet om bekendstaat dat er geweldige deals met hem te sluiten zijn.

Nog een voorbeeld hiervan zou later komen, toen ik bij Twitter wegging en met Jelly begon. Twee van de mensen die mij hadden geholpen bij de ontwikkeling van het idee gingen bij hun bedrijf weg om bij mij te komen werken. Een van hen stond toevallig bij zijn bedrijf op de lijst van technici die ze tegen geen prijs kwijt wilden raken. Toen de technische man vertelde dat hij zou weggaan, boden ze hem zo ongeveer een blanco cheque voor aandelen en salaris. Hij mocht zelf bepalen aan welke projecten hij wilde werken en met welke teams. Daarna stapte een van de belangrijkste managers van Twitter naar mij over. Ik had niet geprobeerd mensen weg te kapen; het gebeurde gewoon vanzelf. Maar toen dit was gebeurd, had Dick Costolo, CEO van Twitter (en een vriend van mij), de zakelijke opdracht gekregen om iets met me te gaan drinken en me er flink van langs te geven.

Toen hij klaar was met zijn oorvijg, zei ik: 'Mag ik je een adviesje geven?'

Hij zei: 'O jezus. Wat dan?'

Ik zei: 'Als je een lijst met mensen hebt die je tegen geen prijs wilt kwijtraken, wacht dan niet met hun meer geld en aandelen aan te bieden tot ze weggaan.' Daar kon hij het mee eens zijn. Daarna bestelden we nog een rondje en sloten we weer vrede.

ONZE COLLEGA'S ZIJN SLIM EN HEBBEN GOEDE BEDOELINGEN

Dit is de vijfde stelling die onze medewerkers bij het kennismakingsgesprek altijd kregen. Ik verzon dan een voorbeeld: Stel je voor dat er een man bij marketing zit die Scott heet en die een plan heeft voor een product waaraan jij werkt. Hij zegt dat hij er drie maanden voor nodig heeft. Drie maanden later is het product klaar om op de markt te worden gebracht, en Scott komt met een ander, minder groots plan op de proppen. Het is niet zo goed als het plan dat hij eerst had laten zien. In plaats van ervan uit te gaan dat Scott lui is of een stomme zak, zou je ook naar hem toe kunnen gaan en jezelf voorstellen. *Hoi, ik ben Biz. Kan ik je soms helpen?*

Je weet niet hoe het allemaal zo gekomen is. Er waren bepaalde koerswijzigingen, beslissingen die moesten worden genomen. Jij bent bij de ontwikkeling van het product door hetzelfde proces gegaan. Het had de functies W, X en Y moeten hebben, maar nu heeft het X en Z. Je moest wat van het product afschrapen, maar je bent er toch trots op. Je zou ook niet willen dat Scott jou een idioot vindt. In grote, logge bedrijven begint iedereen er op enig moment uit te zien als een idioot.

Het onbekende is eng. Daarom zou een holbewoner ook niet graag een pikzwarte grot in lopen. Wie weet wat er verderop is. Hij maakt de keus eerst zijn speer naar binnen te werpen of op de loop te gaan. In een zakelijk scenario manifesteert deze angst zich in de veronderstelling dat je collega het verkeerd doet. Maar in plaats van een speer te werpen, neem jij aan dat hij de vijand is. Communicatie is het equivalent van het aandoen van het anachronistische licht in die pikzwarte grot. Dat geldt vooral als je de CEO bent. Als de investeerders en de leden van de raad van bestuur niets van je horen, gaan ze zich zorgen maken dat je het slecht doet. En zij komen niet naar beneden naar de werkvloer om een nieuw product te ontwerpen. De enige macht waarover zij kunnen beschikken, is degene die de leiding heeft ontslaan.

Toen Twitter groter werd, moesten we gewoon vertrouwen in onze mensen hebben en aannemen dat onze medewerkers, die allemaal door een zorgvuldig sollicitatieproces waren gegaan, competent en gedreven waren. Misschien is Scott een zak – ach, dat komt weleens voor – maar daar moet je niet van uitgaan. Stel je voor dat iedereen met een zekere mate van gedeeld vertrouwen werkt. Misschien leven we dan in een omgeving van te ver opgeblazen optimisme, maar mensen schitteren als je ze het voordeel van de twijfel geeft.

WE KUNNEN AAN EEN BEDRIJF BOUWEN, DE WERELD VERANDEREN ÉN PLEZIER HEBBEN

Het klinkt misschien als een pompeus doel, maar ik wil het kapitalisme herdefiniëren. En waar kan ik dan beter beginnen dan in mijn eigen bedrijf? Van oudsher worden bedrijven gedreven door financieel succes. Maar in de nieuwe definitie wil ik ook een positief effect op de wereld opnemen – én dat je van je werk houdt. Ik wil de lat voor succes hoger leggen. Als een van deze drie principes ontbreekt, mag je volgens je eigen voorwaarden of die van de maatschappij niet als succesvol worden beschouwd. Ik zei tegen elke nieuwe medewerker: 'Dit is een nieuwe lat. Laten we proberen eroverheen te komen.'

Evan en ik leidden nu een ongelooflijk succesvol bedrijf. We hadden de nieuwe medewerkers naar personeelszaken kunnen sturen en het daarbij kunnen laten. Of we hadden kunnen zeggen: 'Welkom in de fantastische wereld van Twitter. We zijn geweldig goed. Veel succes.' Onze aanpak was anders. We presenteerden de bedrijfscultuur aan onze nieuwste medewerkers als een cultuur waarin we luisteren naar elkaar en naar de mensen die ons systeem gebruiken. De nieuwe medewerkers zagen dat we aandacht hadden voor hun aanpak, niet alleen ten aanzien van hun werk, maar ook ten aanzien van elkaar. Ze beseften dat het bij ons niet alleen om nettowinst gaat. Het was niet alleen zo dat onze nieuwe medewerkers kennismaakten met waar het bij ons in het bedrijf om gaat, maar ze leerden ook iets over de leiders van Twitter. We waren evenwichtig. We hadden een theorie over niet arrogant en egoïstisch zijn.

We waren geen klootzakken. Dat is allemaal van belang. Het geheel van zo'n kennismakingsgesprek is meer dan de som der delen.

15

MET VIJFENTWINTIG DOLLAR KOM JE EEN HEEL EIND

Toen ik klein was, droomde ik altijd dat ik kon vliegen. Later ontwikkelde dat gevoel zich tot het geloof dat ik op een dag iets heel bijzonders zou kunnen doen, maar ik had geen idee wat dat zou kunnen zijn, en het leek erop dat ik nooit op de juiste route zat. Toen vroeg in 2009 werd ik uitgenodigd om namens Twitter te gast te zijn bij *The Colbert Report*. Als er al een betrouwbare manier bestond om te kunnen bepalen of ik het gemaakt had, dan was het wel dit. De producenten van een tv-programma dat ik echt goed vond, wilden dat ik iets kwam vertellen over wat ik deed. Voor mij betekende die uitnodiging dat ik iets heel bijzonders had bereikt. Waarom zou Stephen Colbert anders met mij willen praten? Het was een groots moment. Twitter was officieel door zijn kinderziektes heen, en ik vloog. Nu Twitter enorm groot was, wilde ik ervoor zorgen dat we onze macht voor iets goeds gebruikten. Ik had het gevoel dat ik dat instinct altijd al had, maar er zijn een paar vroege momenten waarvan ik weet dat ze hebben bijgedragen aan het toenemende besef van hoe ik in de wereld wilde staan

Het eerste moment was op de middelbare school. Ik herinner me dat een meisje aan me vroeg of ik een schilderij dat ze had gemaakt leuk vond. Ik zei: 'Nee, ik vind het niet goed.' Ze was diep teleurgesteld. Wat was dat nou voor een stom antwoord? Ik had haar heel erg geraakt. We hebben allemaal wel dit soort momenten meegemaakt in onze jeugd, momenten waar anderen die erbij waren niet zo gauw meer aan zouden denken, maar waarbij er bij jou een lampje aanging en je kijk op de wereld voor altijd veranderde. Op dat moment, toen ik de gevoelens van mijn klasgenote en amateurkunstenares kwetste, rijpte ik tot iemand met empathie. Ik had geen zin om een beetje rond te lopen en mensen van streek te maken. Ik wilde een goed mens zijn.

Niet lang daarna zat ik naar een oude film van Jimmy Stewart te kijken die *Harvey* heet. In die film raakt Jimmy Stewart bevriend met een onzichtbaar konijn van 1,85 meter. De mensen denken dat hij gek is geworden, maar tegen hun beschuldigingen en spot onthult hij zichzelf als voortdurend goedaardig en vriendelijk. Weer stelde ik mezelf de vraag: Ben ik wel aardig voor iedereen? Zou ik dat niet moeten zijn? Ik was tot dat moment niet bepaald een monsterachtig joch geweest, maar *Harvey* inspireerde me om actief aardig te zijn. Om voor iedereen goed te zijn. Het leek echt een mooie gedachte, en terwijl ik die in de praktijk begon te brengen, merkte ik dat ik het prettig vond. Dit klinkt misschien een beetje sociopathisch – ik besloot aardig te zijn omdat het voor mezelf goed uitpakte –, maar ontwikkelen we ons niet allemaal op basis van hoe we in interactie staan met de wereld? Het was heel simpel: ik probeerde vriendelijkheid uit, en dat gaf een prettig gevoel.

En dan had je mijn vader. Op zondagen mocht mijn vader volgens de bezoekregeling mij en mijn zus Mandy ophalen. Hij haalde ons rond twaalf uur op, nam ons voor de lunch mee naar Papa Gino's en daarna gingen we naar een midgetgolfbaan of naar de film. Het programma was onschuldig genoeg, maar dat was de zwaarste dag van de week voor me. Mijn vader was uit beeld geweest vanaf mijn vierde, dus ik had nooit de kans gehad om een echte relatie met hem aan te gaan. De zondagen gaven dus veel spanning. Toen ik zestien was, kwam het eindelijk bij me op dat ik ook kon weigeren. Als ik mijn huiswerk niet kon maken, dan kon ik ook mijn vader niet ontmoeten. Vanaf dat moment speelde ik liever Nintendo met mijn vriend Mark. Maar als er íéts is geweest wat ik heb geleerd van die pijnlijke zondagen, dan was het dit: mijn vader was geen ideale ouder, maar ik ging geen tijd verspillen met hem dat kwalijk nemen of mezelf verwijten maken. Ik kan niet zeggen dat ik er goed over had nagedacht; ik richtte mijn aandacht gewoon op andere zaken. De wereld was nu eenmaal niet perfect, en dus besloot ik hem zo prettig mogelijk te maken. Ik wilde het goede vinden – niet alleen dingen op een positieve manier veranderen (hoewel ik daar ook wel een handje van heb), maar mijn rol spelen om de wereld tot een beter oord te maken.

The Colbert Report was niet alleen een teken dat ik het had gemaakt. Door die ervaring openden mijn ogen zich ook voor het sneeuwbaleffect van altruïsme dat ontstaat door een schijnbaar klein gebaar, namelijk door een cadeaubon van vijfentwintig dollar.

Livy en ik waren echt dol op *The Colbert Report*, en we hadden een paar vrienden die met Livy bij het opvangcentrum voor wilde dieren werkten en ook enorme fans waren. We vroegen of ze met ons mee mochten komen naar New York en aanwezig mochten zijn bij de opnamen van het programma. Dat mocht.

Voordat ik aan de beurt was, zaten Livy en ik met onze vrienden in de gastenruimte te wachten. Ongeveer een halfuur voordat de show zou beginnen, kwam Colbert even langs. Hij begroette ons hartelijk en legde uit: 'In mijn televisieprogramma speel ik een rol, en die rol is, ik weet even geen beter woord, die van een ezel.'

Ik zei: 'Weet ik! We zijn gek op je programma!'

Hij zei: 'Veel mensen weten het niet, en soms raken ze in verwarring.'

Ik stelde Livy en haar vrienden aan Colbert voor en vertelde over het opvangcentrum voor wilde dieren waar ze werkten.

Colbert stelde vragen over hun werk en vertelde over zijn acties voor dieren in het wild: een lederschildpad die hij eens in zijn programma had gehad, om aandacht te vragen voor bedreigde zeeschildpadden, en een arend die hij na herstel weer terug naar de natuur had helpen brengen. Ik was onder de indruk. In plaats van uit te dragen: 'Ik ben Stephen Colbert en ik heb mijn eigen tv-programma', toonde hij belangstelling voor wat onze vrienden deden en nam hij de tijd om er een echt gesprek met ons over te hebben.

Na het programma kregen Livy en ik een mandje met cadeautjes. De inhoud was waarschijnlijk vergelijkbaar met wat je bij een heleboel tv-programma's krijgt: een Colbertpetje, een T-shirt, een flesje water. Dat soort dingen. Maar er zat één klein dingetje in de mand dat een enorm effect op me zou hebben. Het was een cadeaubon van vijfentwintig dollar voor DonorsChoose.org.

DonorsChoose.org is een uniek georganiseerde liefdadigheidsinstelling op internet die scholen helpt. Leerkrachten in het lager onderwijs in heel Amerika posten op de site verzoeken om materiaal dat zij voor hun lessen nodig hebben. Je kunt geld geven voor een project dat jij interessant vindt, of voor een school bij jou in de buurt, of voor de klas van de leerkracht die op jou geweldig goed overkomt of heel hard iets nodig heeft. Je geld gaat alleen maar naar het materiaal waar de onderwijzer om heeft gevraagd en een bedrag aan heeft gekoppeld.

Livia en ik gaven de pet en het T-shirt aan onze vrienden, maar de DonorsChoose.org-bon namen we mee naar huis. Toen we weer in Berkeley waren, keken we samen op de website. We vonden een tweede klas waar ze boeken van *Charlotte's Web* wilden hebben, en we doneerden geld voor het aantal waarvan de onderwijzeres had gezegd dat ze het nodig had. Het was geweldig.

Livia en ik waren heel blij dat we iets konden doen, maar het mooiste kwam een paar weken later, toen we ontroerend schattige bedankbriefjes van alle kinderen uit de klas kregen.

—

Empathie is het vermogen om gevoelens van anderen te begrijpen en te kunnen delen. De meeste mensen worden met dat vermogen geboren, maar niet iedereen heeft geleerd hoe hij het vlot moet aanboren of er productief en zinvol gebruik van kan maken. En hier had je een kind dat mij bedankte in haar eigen kromme bewoordingen en met vastbesloten hand. Hoe kun je beter echte empathie tot stand brengen dan door middel van een goed doel dat een directe verbinding legt tussen de gevers en de ontvangers?

Toen ik nog een jongen was en op weg naar de supermarkt langs een luid bellende kerstman van het Leger des Heils liep, gooide ik altijd wat geld in zijn emmer. Maar de emmer van de kerstman was een zwart gat. Ik heb nooit enig idee gehad waar mijn kwartjes naartoe gingen en of het echt iets uitmaakte. En er kwam al helemaal niemand naar me toe om te zeggen: 'Hé, dank je wel voor dat kwartje. Dat was nou net het laatste kwartje dat we nog nodig hadden. Honger in de wereld: opgelost.' Je kon niet verwachten dat je een bedankje kreeg, dat je donatie succes zou hebben of dat je zelfs maar iets te horen zou krijgen over de resultaten. Maar dat gaf ook niet. Het was mij niet om terugkoppeling of bedankjes te doen. Voor mij was iets aan andere mensen geven een deel van mens-zijn.

Met DonorsChoose.org verdween dat gevoel van alleen maar doneren en niet weten wat er met je geld gebeurt. Mijn gift had onmiddellijk resultaat, de ontvangers gaven blijk van hun dankbaarheid, en daardoor wilde ik meer geven. Het was een briljante feedback-lus. Empathie vereist meer fantasie dan gewoon een munt op een schoteltje gooien. Als je een oprechte brief van een kind krijgt dat voor het eerst de vriendschap van Charlotte en Wilbur heeft ervaren, dan komt zo'n kind ineens helemaal voor je tot leven. Je ziet wat er allemaal nodig is en hoe je daar je steentje aan kunt bijdragen. Livy en ik begonnen regelmatig geld aan DonorsChoose.org te geven. We hadden nog niet veel geld – we gaven maar vijftig dollar per keer, maar we waren er echt enthousiast over. Je kunt op een avond je tijd doorbrengen door naar een paar tv-series te kijken, of je kunt samen met je partner een paar kinderen helpen. Welk van beide geeft je een beter gevoel?

Dankzij DonorsChoose.org ontdekte ik de krachtige feedback-lus van het altruïsme waarover ik het daarnet had, maar er was nóg een les, misschien zelfs wel nog belangrijker, en dat was deze: als Stephen Colbert me niet die bon van vijfentwintig dollar had gegeven, had ik die kinderen niet geholpen. Ik heb de wereld er niet mee veranderd, maar een paar onderwijzers hebben daardoor de projecten kunnen doen die ze wilden doen. En ik mag graag denken dat elk van die kinderen die *Charlotte's Web* hebben gelezen, iets uit het boek heeft meegenomen dat het voor de rest van hun leven met zich meedraagt en dat zal leiden tot een sneeuwbaleffect. Ook hebben de kinderen ervaren wat het is om iets te krijgen van een vreemde. Met zijn cadeautje heeft Stephen dus niet alleen mij bereikt, maar ook de leerkracht, de kinderen en de mensen die zullen profiteren van de positieve ervaring en intellectuele groei van die kinderen. En ik was nog maar een van de gasten in Colberts programma die zo'n cadeaubon voor DonorsChoose.org hebben gekregen. Als alle ontvangers – of zelfs maar een klein deel van hen – net zo'n ervaring hebben gehad, moet je eens kijken wat een breed bereik zo'n eenvoudig gebaar heeft!

Op de Chirp Conference hebben wij een DonorsChoose.org-cadeaubon gegeven aan alle aanwezigen: honderden, misschien wel duizenden mensen kregen vijfentwintig dollar om aan een project op de website te doneren, en Charles Best, de stichter en CEO van het goede doel, liet later weten dat een ongebruikelijk groot aantal van die mensen is doorgegaan met hun steun.

Stephens kleine daad van vriendelijkheid – zijn donatie in de vorm van die bon van vijfentwintig dollar aan elke gast van zijn show – heeft exponentiële resultaten gehad. Ik noem dat de 'rente op rente' van het altruïsme.

Veel mensen kennen de waarde van rente op rente: als je een spaarrekening hebt waarbij de rente die je krijgt elke maand wordt toegevoegd aan je spaargeld, is de rente die je de volgende maand krijgt een klein beetje meer. Herhaal dat maand na maand, en je vermogen neemt met een sterk hellende lijn toe. Stel je bijvoorbeeld voor dat je op je twintigste honderd dollar op een spaarrekening hebt gezet met een jaarlijkse rente van 0,64 procent die elke maand op je rekening wordt bijgeschreven. Als je doorgaat met elke maand honderd dollar in te leggen tot je veertigste, dan heb je aan het eind 25.724 dollar. (Intussen hanteren creditcardorganisaties een gemiddelde rente van 15 procent! Dat is meer dan drieëntwintig keer de rente op je spaarrekening. Als je twintig jaar lang een creditcardschuld van honderd dollar hebt, en je verhoogt dat bedrag elke maand met diezelfde honderd dollar zonder ooit een aflossing te doen, heb je op je veertigste een schuld van 153.567 dollar!)

Dit fenomeen is niet uniek voor spaarrekeningen of zelfs maar geld in het algemeen. Stephens cadeaubon was voor Livia en mij de inspiratie om zoveel te geven als we ons destijds konden veroorloven.

En toen gebeurde er nog iets anders. Twitter groeide, mijn financiële situatie veranderde, en Livia en ik begonnen veel meer geld aan DonorsChoose.org te doneren. Charles Best nodigde ons uit voor een ontmoeting. Ik hielp met de opzet van een nieuwe website voor hem en begon hem ook op andere gebieden te adviseren. Mijn relatie met het goede doel werd inniger en persoonlijker. Uiteindelijk werd ik een belangrijke donor, adviseur en actieve deelnemer van Donors Choose.org.

En dat allemaal door een cadeaubon van vijfentwintig dollar.

Het is niet eenvoudig om geld te geven als je zelf heel weinig hebt. Geloof me maar, ik heb vele jaren met schulden geleefd en ik weet precies hoe het voelt als je je om elke dollar zorgen moet maken. Maar mensen gaan op de verkeerde manier met filantropie om. Ze denken dat je moet wachten tot je makkelijk iets kunt weggeven, dat wil zeggen: rijk bent. We hebben allemaal een andere definitie van financieel succes, maar ik kan je wel vertellen dat voor praktisch iedereen bij elk inkomen rijk-zijn alleen in de toekomst bestaat.

Het is verkeerd om te wachten met geven. Het hoeft niet om geld te gaan. Als je er vroeg mee begint (nu!), wordt de waarde van je donatie met de tijd groter. Dat werkt zo op twee manieren. Ten eerste: als je vroeg begint met de gewoonte om ook aan anderen te denken, voordat je veel te geven hebt, rijpt de intentie met je mee. Naarmate je meer vermogen hebt, wordt je neiging om te geven ook groter. Ten tweede, en misschien belangrijker: je donaties zorgen voor een sneeuwbaleffect, net zoals de cadeaubonnen van Stephen Colbert. Gedurende de volgende twintig jaar zal de hoeveelheid goed die je hebt gedaan exponentieel gegroeid zijn ten opzichte van wat het geweest was als je met je giften had gewacht tot je veertig of vijftig was geweest.

Het heeft niet allemaal met geld te maken. Je kunt ook tijd geven. Of andere mensen erop wijzen, zoals Colbert deed. Of kleine bedragen geven die je je kunt veroorloven.

De kleinste, vroegste donaties brengen veranderingen aan in je pad om goed te doen. Dat is wat ik bedoel met de 'rente op rente' van het altruïsme. Begin vroeg en maak de opgestapelde rente in je inspanningen maximaal.

Ik was pas uit de schulden in 2010. Twitter was nog geen beursgenoteerd bedrijf, maar met een succesvolle start-up heb je uiteindelijk mogelijkheden om aandelen privé aan investeerders te verkopen. Het is een gelegenheid om echt geld uit theoretisch geld te halen. Ik geloofde nog steeds in Twitter, en ik heb zeker niet al mijn aandelen verkocht, maar ik vond het niet zinvol om honderd procent van mijn geld in één bedrijf te investeren. Iedereen die met een start-up te maken heeft, zou dezelfde kans moeten grijpen.

Daarom haalde ik er wat geld uit. Ik kan me de dag waarop we de deal sloten nog heel goed herinneren. De man die op dat moment mijn manager was, stuurde me een e-mail met de volgende woorden: 'We hebben net de opdracht ontvangen.' Het was voor een hele berg geld. Meer geld dan ik ooit had kunnen dromen.

Ik mailde terug: 'Mooi! Bedankt. Biz.'

Hij mailde: 'Mooi? Je bent voor de rest van je leven binnen, en dat is je reactie?'

Daarna ging ik naar beneden naar Livy en grapte: 'Nou, we zijn nu officieel rijke blanke mensen die in Marin wonen.'

Er veranderde niet echt iets, behalve dat ik een overweldigend gevoel van opluchting had. Ik was arm opgegroeid en ik had bijna mijn hele volwassen leven met schulden geleefd. Livy's ouders waren zelfstandig kunstenaars die van de ene dag in de andere leefden. We waren geen straatschoffies, maar er was bij ons allebei thuis nooit financiële zekerheid geweest. We voelden ons er in zekere zin comfortabel onder dat er weinig comfort was. Het leek nog maar gisteren dat Livy en ik munten uit een bekertje in een Coinstar-machine gooiden en Livy in haar handen stond te klappen omdat we honderd dollar bij elkaar hadden.

Het beste dat ik kan zeggen over genoeg geld hebben na tijdenlang in schulden te hebben geleefd, is dat geld een immuunsysteem is. Als je schulden hebt en je moet jarenlang elke maand kiezen welke rekeningen je betaalt en welke je doorschuift, zit je altijd in spanning. Elke kleine uitgave is weer een verhoging van de schuld. Elke keuze kan makkelijk een ruzie veroorzaken tussen jou en je partner.

Als je genoeg geld hebt – je hoeft niet rijk te zijn, maar als je genoeg hebt om van te leven, je rekeningen te betalen en een beetje te sparen – verdwijnt de constante stress van het steeds maar net redden. De aanhoudende bezorgdheid verdwijnt. Het grootste effect dat geld op mij heeft gehad, is dat ik nu elke dag dankbaar ben dat ik die bezorgdheid niet meer hoef te hebben.

Wat ik nog meer over geld wil zeggen, is dat het, als je er heel veel van hebt, uitvergroot wie je bent. Ik heb ontdekt dat dat bijna universeel waar is. Als je een aardig mens bent en veel geld krijgt, word je een fantastische filantroop. Maar als je een zak bent met heel veel geld, kun je het je veroorloven een nog grotere zak te worden: 'Waarom is mijn drankje niet twintig graden Celsius?' Je bepaalt zelf wie je bent, hoe dan ook, maar ik moet zeggen dat je er nog wel mee wegkomt als je moeite hebt om de eindjes aan elkaar te knopen. Als je rijk bent, heb je geen excuus.

Er is nog een belangrijk aspect van altruïsme dat we niet uit het oog moeten verliezen bij het bepalen of we wel of niet willen geven: de vergissing die veel mensen maken door aan te nemen dat altruïsme eenrichtingsverkeer is. We vergeten de waarde van het helpen van andere mensen. We zijn allemaal samen op aarde. Als we anderen helpen, helpen we ook onszelf.

Het eenvoudigste dagelijkse voorbeeld hiervan is dat ik veganist ben. Hoewel ik veganist ben omdat het me iets uitmaakt hoe dieren worden behandeld, heeft veganisme mij niet te maken met iets opgeven. Los van gezondheidsvoordelen, word ik ietsje beter van de wetenschap dat ik die keus heb gemaakt en me eraan houd. Goeddoen is geen opoffering.

Je kunt er ook op een andere manier naar kijken. In deze tijd is het voor een heleboel pas afgestudeerden moeilijk om een baan te vinden. Je kunt elke dag een sollicitatiegesprek hebben en voortdurend worden afgewezen. Je raakt er uitgeput door, het doet je zelfvertrouwen geen goed. Wat kun je daar dan aan doen? Wat dacht je van vrijwilliger worden bij een non-profit-organisatie? Ineens ben je lekker bezig; je doet iets goeds voor de maatschappij en je werkt intussen nog aan je netwerk ook. Misschien kom je er wel achter dat een van de andere vrijwilligers een tip voor een baan voor je heeft of iemand kent die je verder kan helpen. In elk geval heb je iets te vertellen tijdens je sollicitatiegesprekken. 'Ik doe vrijwilligerswerk, maar ik ben op zoek naar een volledige baan.' Je hebt een goed gevoel over jezelf. Je glanst vanbinnen door de wetenschap dat je andere mensen helpt. Je straalt zelfvertrouwen en productiviteit uit. Als je nu naar een sollicitatiegesprek gaat, komt die hele diepgevoelde ervaring naar buiten.

Je moet niet over het helpen van andere mensen denken als iets wat je weggeeft of iets wat je jezelf ontneemt. Denk aan wat je erdoor terugkrijgt. Het is een paradox, maar als je andere mensen helpt, help je jezelf.

Livy en ik leven bewust bescheiden. Ik houd van simpele, kleine, goedkope dingen. Een Timex-horloge, een Levi's-spijkerbroek en mijn vw Golf. Als Livy me soms in het park ziet spelen met onze peuter Jake, of als hij en ik samen in de kamer op de vloer bezig zijn, zie ik tranen in haar ogen. En die zijn van geluk, dat weet ik heel goed. Dat zijn de dingen in het leven waar het echt om gaat, en die kunnen plaatsvinden op elke vloer in elk huis of in elk park in elke buurt. Onze versie van een Lamborghini en een gigantisch huis is dat we een heleboel geld geven om anderen te helpen. Andere mensen helpen geeft ons een gevoel van succes. Het geeft zin aan ons leven. En zo kan het voor jou ook zijn, ongeacht hoeveel geld je kunt missen.

16

EEN NIEUWE DEFINITIE VAN KAPITALISME

Mensen zijn goed, en als je ze de juiste middelen geeft, zullen ze die gebruiken voor de juiste dingen. In al die tijd dat ik bezig was met het ontwikkelen van grootschalige communicatiesystemen met sociale elementen (eerst met Xanga, daarna toen ik werkte bij Blogger door boeken, tijdschriften en blogs te lezen, door op een hoog niveau na te denken over bloggen, zelf-organiserende systemen en dat soort zaken), was een van de patronen die ik meteen vanaf het begin zag, dat deze gemeenschappen neigen tot zelfcontrole. Ja, natuurlijk, er is wel verkeerd gedrag. Maar er is altijd meer goed dan kwaad. Bij Twitter hadden we geen leger van mensen nodig om berichten te verwijderen of accounts te blokkeren. Daar komt het doordat grote, ongereguleerde, zelf-organiserende systemen met honderd miljoen gebruikers zonder veel verstoringen kunnen functioneren. Als mensen niet aardig waren, zou ik mijn werk niet kunnen doen. Het is heel indrukwekkend, maar als je er goed over nadenkt, is het natuurlijk zo dat wij mensen goed moeten zijn in samenwerken. Als we niet met elkaar overweg zouden kunnen, hoe moesten we dan gebouwen maken en wegen aanleggen en ons (meestal) aan de verkeersregels houden? Als we niet aardig voor elkaar waren, zouden we geen beschaving hebben.

Ik las laatst een artikel in het tijdschrift *Yes!* waarin stond dat Darwin van mening was dat gemeenschappen met mededogen voor elkaar het best floreren en de meeste nakomelingen krijgen. We zijn dus door evolutie aardig geworden. Het artikel haalde ook nieuw onderzoek aan waaruit blijkt dat onze voorouders op de grote vlakten moesten leren om de buitgemaakte prooi met elkaar te delen. Egoïstische mensen werden waarschijnlijk verstoten. Mensen leven in stamverband, en onderzoeker Michael Tomasello doet de suggestie dat we door evolutie tot samenwerking zijn gekomen. Jij en ik, we zijn allebei geboren om samen te werken. Het goede in de wereld is dus niet alleen het product van mijn hallucinogene optimisme. Wat dacht je daarvan? Wetenschappelijk bewezen!

En als jij het ons eenvoudig maakt om anderen te helpen, dan doen we dat ook.

Ja hoor, klinkt geweldig. Verbeter de wereld. Help anderen. Het is heel eenvoudig om te zeggen, maar als enkele persoon zonder mogelijkheden is het moeilijk om dat te zien als iets meer dan een versleten goed voornemen voor het nieuwe jaar. Maar dat is het mooie van de zwermvorming op Twitter. Zodra mensen zich tot groepen verzamelen, kan er van hun energie gebruikgemaakt worden. Ze kunnen als één bewegen. Ze kunnen ervoor zorgen dat er iets gebeurt.

Zodra ik belangstelling kreeg voor de zakenwereld, begon ik aandacht te besteden aan hoe bedrijven omgaan met sociale verantwoordelijkheid. Drie dagen na de tragedie van 11 september 2001 postte ik op mijn blog: 'Wow, het Rampenhulpfonds van Amazon heeft al 4,3 miljoen dollar bij elkaar en dat bedrag neemt met de minuut toe.' Ik was onder de indruk van hoe een website zijn onmiddellijke en grote bereik had gebruikt om geld in te zamelen. Voor goede doelen is het nodig dat mensen de handen ineenslaan, en ondernemingen hebben als gemeenschap de perfecte positie om tot liefdadigheid aan te zetten en te inspireren.

Ik heb al over mijn nieuwe definitie van kapitalisme gesproken. Ik wil dat bedrijven niet alleen financieel succes hoog op hun prioriteitenlijstje zetten (wat normaal is) en medewerkers en consumenten plezier geven, maar dat ze ook een positief effect op de wereld hebben.

Al vroeg, in juli 2007, zagen wij bij Twitter dat het dwaas is om geld te betalen voor het in flesjes laten stoppen en naar ons kantoor laten vervoeren van water terwijl er schoon drinkwater uit de kraan komt. En met 'dwaas' druk ik me nog zachtjes uit ook. Sterker nog, je zou kunnen zeggen dat dat sociaal, ecologisch en financieel onverantwoord is. Maar ja, mensen moeten nu eenmaal elke dag water drinken. En dus bedachten we een officiële Twitter Inc.-waterstrategie. Ten eerste leverden we geen water in flessen meer. Vervolgens kochten we voor elke medewerker een waterflesje. En ten slotte installeerden we een filter op de kraan zodat het water lekkerder smaakte. We besloten dat we gasten op kantoor drinkwater zouden aanbieden uit onze beperkte voorraad Ethos Water. Ethos is een dochter van Starbucks die bewustzijn wil creëren voor het waterprobleem in de wereld en een deel van de winst afstaat om bij te dragen aan schoon water voor kinderen overal ter wereld.

De waterstrategie van Twitter zorgde voor een sneeuwbaleffect. We leefden niet alleen conform onze eigen ethische principes, maar we brachten een wereldwijd probleem onder de aandacht, namelijk dat 1,1 miljard mensen op aarde geen toegang hebben tot veilig, schoon drinkwater. Het resultaat? De non-profitorganisatie 'Charity: Water' werd het favoriete goede doel voor Twitter en onze gebruikers. Algauw waren er in steden overal ter wereld 'Twestivals', waar Twittergemeenschappen samen konden komen om geld bijeen te krijgen en bewustzijn te vergroten voor Charity: Water.

Charity: Water was nog maar het begin. Ik bleef uitkijken naar meer manieren om Twitter een positief effect op de maatschappij te laten hebben. Toen we bezig waren met die iPods voor Odeo, bracht Apple een rode iPod uit in het kader van een initiatief dat Product(RED) heet. Ik vond dat interessant en ontdekte dat het moederbedrijf (RED) geld inzamelt om hiv/aids in Afrika uit te roeien. Ik begreep van die organisatie wat je met antiretrovirale geneesmiddelen kunt doen voor mensen die hiv-positief zijn. Patiënten die op de rand van de dood balanceren, kunnen worden gered en kunnen verder een gezond leven leiden. De organisatie bood een prachtige kans om een werelddeel te helpen dat door de hiv/aids-epidemie vrijwel was verwoest.

In het project Product(RED) komen veel bedrijven samen die hebben besloten een rode versie van hun product te verkopen en een deel van de opbrengst daarvan bij te dragen aan (RED). Nike verkocht rode schoenveters, American Express maakte een rode creditcard. Ik vond Product(RED) een goed initiatief en begon rode dingen van hen te kopen. Spoedig na de start van

Twitter registreerde ik '@red' als Twitternaam, hoewel (RED) toen nog niets met ons aankon. Ik had zo'n idee dat organisaties, als Twitter een succes werd, een Twitteraccount zouden nemen, en ik fantaseerde dat we op een dag zo groot zouden zijn dat bedrijven een account zouden willen hebben en ik dan zou kunnen zeggen: 'Ik heb uw accountnaam al voor u gereserveerd.' En inderdaad, eind 2007, toen er inmiddels veel aandacht voor Twitter was, besloot (RED) dat ze iets met sociale media zouden gaan doen. Ze belden Twitter en ontdekten dat iemand het @red-account al had geclaimd. Ik kreeg de boodschap overgebracht, belde hen terug en zei: 'Ik ben degene die het @red-account heeft. Hier hebt u het.'

Voor Wereld Aids Dag op 1 december 2009 maakten we de belangrijkste delen op onze homepage rood, zetten er een link naar (RED)'s Twitterpagina op, boden een rood Aids Dag-strikje (een 'twibbon', natuurlijk) dat gebruikers op hun pagina konden zetten, en maakten een hashtag, #red, waarmee je tweet met iets over Wereld Aids Dag automatisch rood werd. Het was de eerste keer dat we in Twitter de vormgeving veranderden voor een speciale gelegenheid.

En het was niet alleen een geinig figuurtje bij ons logo. Websites bieden een dienst aan die 'take-over' heet: de adverteerder koopt dan alle advertentieruimte op een site (en moet daar ontzaglijk veel geld voor betalen). Dat houdt meer in dan alleen banners: het is het sponsoren van de hele site. In wezen was dat wat Twitter voor (RED) deed, gratis. We gingen op rood voor Wereld Aids Dag. Facebook en Google deden ook mee aan Wereld Aids Dag, maar zij zouden nooit hun site zo ingrijpend hebben veranderd voor een activiteit voor een goed doel.

Hoewel we het daar niet speciaal voor hadden gedaan, heeft onze deelname Twitter wel geholpen. Door de extra perspubliciteit stonden we ineens tussen de grote spelers die (RED) die dag steunden. Dat is een van de manieren waarop altruïsme zichzelf terugbetaalt. De hele wereld móét wel zien dat je intenties goed zijn, en daar reageert iedereen op.

Ik had zelf nog niet genoeg geld toen ik met (RED) samenwerkte om Twitter die dag op rood te zetten, maar er was een onmiddellijk 'rente op rente'-effect. Ashton Kutcher tweette naar de vier miljoen volgers die hij destijds op Twitter had:

Doe mee met #red.

En hij was niet de enige bekendheid die zoiets deed. En (RED) profiteerde van onze inspanningen in veel andere opzichten. Tot op de dag van vandaag zegt Chrysi Philalithes, de algemeen directeur digitaal van (RED): 'Toen jullie Twitter op rood zetten, hebben jullie ons op de kaart gezet. We kwamen daardoor binnen bij andere sociale media.'

In 2010 bracht (RED) samen met HBO een film uit die *The Lazarus Effect* heet, geregisseerd door Lance Bangs en geproduceerd door Spike Jonze. In de film kun je de verbluffende resultaten van antiretrovirale middelen (ARV's) zien. De film gaat over verschillende Zambianen die een ARV-behandeling tegen hiv/aids krijgen. Het is heel moeilijk om naar de verhalen van deze mensen te luisteren, maar uiteindelijk is de film toch opbeurend. Er is een meisje van elf, Bwalya Liteta. Ze weegt slechts elf kilo, is vel over been, bleek , zwak. Net als de andere aidspatiënten ziet ze eruit als een wandelend lijk. Maar dankzij ARV's, twee kleine pilletjes per dag die bij elkaar veertig dollarcent kosten, is ze na een paar maanden in een sterk, gezond kind veranderd dat een normaal leven kan leiden. We zien in de film ook een vrouw die Constance Mudenda heet. In 2004 bleek Constance, die drie kinderen aan aids had verloren, hiv-positief te zijn. Zij was een van de eerste patiënten in een nieuwe ARV-kliniek die dankzij

(RED) kon worden gebouwd. Toen de film werd gemaakt, was Connie in goede gezondheid en stond ze aan het hoofd van drie klinieken, waarmee ze het stigma van hiv in die gemeenschap ontmantelde. (In 2013 bracht ze, nog steeds onder ARV-behandeling en nog steeds in rouw over de kinderen die ze had verloren, een meisje ter wereld, Lubona. Dat dochtertje is hiv-negatief, en dat laat de toekomst zien die ARV's bieden.) Net als de brieven van de kinderen van DonorsChoose.org laat *The Lazarus Effect* aan mensen zien hoe hun donatie het leven redt van echte mannen, vrouwen en kinderen, die allemaal hun hoop en dromen hebben.

Moet je eens kijken naar het totale effect van wat (RED) doet. Zieke mensen worden beter en kunnen terugkeren in de maatschappij. Moeders worden weer moeder. Vaders zijn weer vader. Leraren gaan weer lesgeven. Mensen keren terug naar hun werk en hun school. Na verloop van tijd heeft (RED) een werkelijk geo-economisch effect. Je ziet hoe een dorp weer tot leven komt. En dan nóg een dorp. Het hele gebied begint te stabiliseren. Er is geen sprake meer van het zwarte gat van de liefdadigheid waarmee ik als kind vertrouwd was. Het gaat niet meer over een kwartje in de emmer van de kerstman. Dit werk heeft meetbare resultaten. Hiv/aids is een serieus maar oplosbaar probleem. We kunnen aids de wereld uit krijgen. En het is mij ook niet ontgaan dat die pilletjes voor één persoon veertig dollarcent per dag kosten en dat dat dan ongeveer 140 dollar per jaar is: het magische getal van Twitter.

Jij en ik kunnen echt problemen oplossen. Op een dag zal er een generatie zijn die vrij van aids is. Het wordt fantastisch.

In 2009 groeide het gebruikersbestand van Twitter met 1500 procent, en Twitter Inc. groeide met 500 procent. Sommige bedrijven doen alleen maar zaken om winst te maken. Sommige organisaties bestaan uitsluitend om goed te doen. Er zijn ook bedrijven die winst maken en vervolgens de tijd nemen om goed te doen. Twitter heeft de stilzwijgende belofte aan de wereld gedaan dat het bedrijf een model kan zijn voor zakendoen in de eenentwintigste eeuw. Ik heb geprobeerd mijn aandeel te leveren door een dienst te creëren die de wereld beter heeft gemaakt en die zelf ook van die inspanning heeft geprofiteerd.

Als mensen over liefdadigheid praten, verwijzen ze vaak naar de behoeftepiramide van Maslow. De theorie van de twintigste-eeuwse psycholoog Abraham Maslow is dat de eerste behoeften die we proberen te bevredigen de basisbehoeften zijn: voedsel, water, slaap etc. Vervolgens zoeken we naar veiligheid, met daarin vervat werk, moreel gedrag, gezondheid en bezit. Zodra we dat allemaal bereikt hebben, gaan we op zoek naar liefde en saamhorigheid. Daarna streven we naar vertrouwen en respect. Ervan uitgaande dat we tot hier succesvol zijn, komen we nu bij de top van de piramide van Maslow terecht en stuiten daar op een diepere behoefte: rechtvaardiging van ons eigen bestaan als zodanig. In tijden van overvloed is het een typische eigenschap van de mens om te streven naar een meer betekenisvol leven. Aan die behoefte wordt vaak het best voldaan door onbaatzuchtige betrokkenheid bij het welzijn van andere mensen.

We zien dat bedrijven een vergelijkbaar pad volgen, met altruïsme als een laatste gedachte in een lange lijst van behoeften. Deze manier van werken is niet juist. Je houdt op die manier namelijk geen rekening met de 'rente op rente' van het helpen van andere mensen.

In de lente van 2012 had ik het voorrecht te kunnen praten

met Bill Clinton. Het was op de Clinton Global Initiative University, een jaarlijkse bijeenkomst voor de volgende generatie leiders om oplossingen voor te stellen en te bespreken voor problemen op wereldniveau. Ik had Clinton horen zeggen: 'De effectiefste wereldburgers zullen de mensen zijn die erin slagen om hun zakelijke en filantropische missie te verenigen tot het creëren van een toekomst van gedeelde voorspoed en gedeelde verantwoordelijkheid', en ik vroeg hem iets meer te vertellen over waarom hij dat belangrijk vond. Hij zei dat bedrijven groeien door meer mensen binnen de cirkel van potentiële klanten te halen. Maar dat je maar in betrekkelijke zin kunt groeien als je miljarden mensen buitensluit. Hij citeerde drie obstakels voor groei: afschuwelijke ongelijkheid (de helft van de wereld leeft van minder dan twee dollar per dag), politieke en financiële instabiliteit, en klimaatverandering en uitputting van grondstoffen. Hij zei dat bedrijven twee dingen moeten doen. Ten eerste: bedrijfsverantwoordelijkheid integreren in hun bedrijfsstrategieën, en ten tweede: NGO's steunen om voort te gaan met hun inspanningen. Hij gaf het voorbeeld van Walmart. Toen ze daar beseften dat klimaatverandering iets reëels is, brachten ze het gebruik van verpakkingsmateriaal in al hun winkels met 5 procent terug. Dat staat gelijk aan het van de weg halen van 211.000 op diesel rijdende vrachtwagens.

Ik was het met hem eens en voegde er nog aan toe dat bedrijven die zich niet aan een goed doel verbinden een concurrentienadeel hebben. Het is niet alleen maar dat je goeddoet; industrie zal de wereld óf vernietigen óf redden. Het ligt in onze aard als mens om onszelf te willen redden. En we zullen er goed zaken mee kunnen doen.

Twitter heeft al vroeg in zijn bestaan in altruïsme geïnvesteerd, deels omdat we vonden dat, als we een kracht voor het goede waren, dat ons als bedrijf sterker zou maken. Bedrijfscultuur is van oudsher hiërarchisch, met een structuur van regels en gedragingen zoals waartegen ik me verzette toen ik op de middelbare school zat. We krijgen een hele stapel huiswerk op, terwijl een beetje extra slaap ons al een heel eind op weg zou helpen. Ik wilde dat Twitter zich aan dat keurslijf zou ontrukken, en daarmee ook andere bedrijven, die het voorbeeld van Twitter volgen. We zouden zaken kunnen doen met een hoger ambitieniveau en betere methoden om succes te meten. We zouden het aangeboren verlangen van onze medewerkers om goed te doen kunnen omarmen. Er ligt waarde in onbaatzuchtigheid. Bedrijven moeten dit patroon begrijpen en producten ontwikkelen die een diepere betekenis bieden. We moeten waarde zien als belangrijker dan winst. Het uitdagen van wat nou net de aard van ambitie in het bedrijfsleven is, is geen platgetreden pad. Maar toch wilde ik dat wij een stap opzij zetten om anderen te helpen, om empathisch te zijn. Ik wilde dat ons werk betekenisvol en lonend was op allerlei manieren.

Ik zei tegen onze medewerkers: 'We kunnen een kracht voor het goede zijn, een heleboel geld verdienen en vrolijk lachen terwijl we aan het werk zijn.'

Voor een organisatie die Room to Read heet, een goed doel van voormalig Microsoft-medewerker John Wood, hebben we bij Twitter ons eigen wijnmerk op de markt gebracht, Fledgling (vogeltje dat net uit het nest is) geheten. We gingen een partnerschap aan met een wijnmakerij en iedereen in het bedrijf kreeg de kans om mee te helpen met het maken van de wijn. We plukten en persten druiven en produceerden twee soorten wijn: een pinot noir en een chardonnay. We zamelden geld in tijdens een wijnproeverij in de wijngaard, en daarna veilden en verkochten we flessen via internet. Al het geld dat we inzamelden, ging naar Room to Read, dat boeken voor kinderen in ontwikkelingslanden aanschaft. Als je er goed over nadenkt, is het eigenlijk als een symbiose: als je niet kunt lezen, kun je ook niet tweeten. Hoe meer lezers in de wereld, hoe groter Twitters potentieel.

Onze belofte was dat we waarde vóór winst zouden leveren, en dat vertelde ik onze medewerkers bij elke gelegenheid die ik kreeg. Met elkaar bouwden we iets op dat werkelijk potentieel had voor een positief en blijvend mondiaal resultaat. Ons werk was van invloed op het leven van andere mensen, in scenario's die varieerden van eenvoudige sociale omgang tussen mensen onderling tot iets voor elkaar krijgen op het gebied van hulp bij rampen en politieke onrust. De medewerkers bij Twitter konden menselijk gedrag verbeteren op een productieve en betekenisvolle manier, maar alleen als we tegen ons werk aankeken op een wijze die in lijn was met deze belofte.

Denk daar maar eens over na: waarde vóór winst. Ik heb het al gehad over de waarde van het incorporeren van altruïsme in je leven. Maar hoe kun je nog meer de cultuur van goeddoen laten toenemen? Hoe kun je dat tot een rode lijn maken door al je activiteiten heen? Misschien maak jij deel uit van de Twittergemeenschap en kun je het gebruiken als werktuig om te geven of een verandering te bewerkstelligen. Misschien hoor je bij een andere gemeenschap (je kerk, de school van je kinderen, je woonplaats) waar een verschuiving van waarde de inspiratie kan zijn voor deelname aan een goed doel. Geven onafhankelijk van anderen is grootmoedig en betekenisvol, maar als we onze krachten verenigen en samen aan een doel werken, is het resultaat grandioos.

17

IETS NIEUWS

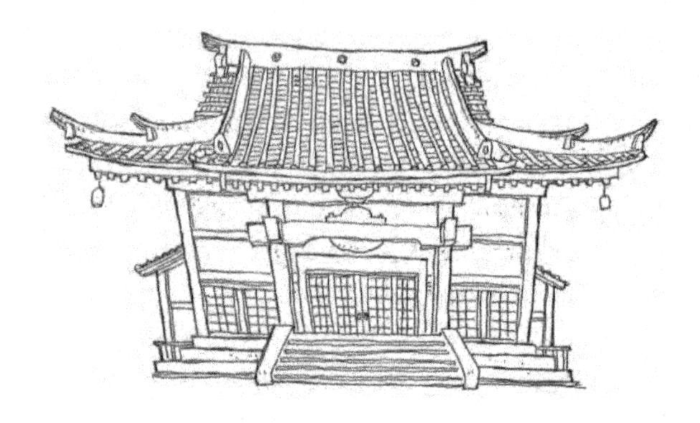

De start-up die ik had helpen oprichten, begon uit te groeien tot een heuse onderneming. In 2010 begon ik te onderzoeken waar ik nu stond, wat ik had geleerd en wat mijn doelen voor de toekomst waren.

Twitter had nu meer dan honderd miljoen geregistreerde gebruikers op de site. We namen steeds meer personeel aan en breidden het bedrijf internationaal uit. We richtten ons op groei en technische stabiliteit.

Maar er zat verandering in de lucht.

Het begon in Japan. In de eerste dagen van oktober was ik in Tokio voor het onderhouden van de internationale relaties van Twitter. Ik had Livia overgehaald om mee te gaan en haar beloofd dat als zij mijn drie dagen van afspraken in Tokio zou uitzitten, we daarna drie dagen konden doen wat zij het leukst vond: naar Kyoto gaan om daar enkele van de prachtige tempels en andere heiligdommen te bezoeken.

Mijn tweede dag in Tokio, een donderdag, zat ik bij een digitaal congres in een panel over hackathons. De volgende dag stond er onder andere een gesprek voor YouTube op het programma met een beroemde verlamde man die fan van Twitter was. Hij gebruikte Twitter door zijn telefoon met zijn schouder tegen zijn wang te houden en te tweeten met zijn tong. Op zaterdag zouden Livia en ik de beloofde pelgrimage naar Kyoto maken.

Terwijl ik in dat panel zat, kreeg ik een telefoontje van Jack Dorsey. Hij en Evan waren mijn beste vrienden in de raad van bestuur. Jack zei: 'Biz, de raad wil Evan ontslaan. Het wordt morgen bij de stafvergadering bekendgemaakt. Ze stellen Dick [Costolo] aan als interim-CEO. Je moet het vliegtuig pakken en zorgen dat je hier morgen bent.'

Dat was een enorme schok.

Dick Costolo was onze COO. We hadden hem in de zomer van 2009 in dienst genomen, hoewel het als een geintje was begonnen. Evan ging met ouderschapsverlof. Dick was een vriend van ons. Hij had meegeholpen met de oprichting van FeedBurner, een dienst voor het beheren van internetfeeds, en stapte over naar Google toen Google zijn bedrijf kocht. Hij deed aan standupcomedy. We vonden hem leuk. Ev had hem in een opwelling een sms'je gestuurd: 'Hé, wil jij interim-CEO zijn tijdens mijn ouderschapsverlof?'

Dick sms'te terug: 'Haha. Je méént het!', of woorden van gelijke strekking.

Ev belde mij onmiddellijk daarna. Hij zei: 'Ik was een beetje ongein aan het trappen over dat Dick het van mij kon overnemen als CEO, maar eigenlijk vind ik echt dat we hem wel aan kunnen nemen. Hij heeft het erover om naar Californië te verhuizen en zijn kracht ligt precies waar ik niet zo sterk ben. Dit zou geweldig kunnen uitpakken.' Dus namen we in september 2009 Dick als COO aan.

Evan, Jack en ik waren samen met Twitter begonnen. We waren echt een team. Ik hoopte dat we dat altijd zouden blijven. Dit had ik niet zien aankomen.

Ik zei: 'Oké Jack, ik kijk wat ik kan doen. Morgen thuis zijn vanuit Japan wordt een beetje lastig.'

Jack zei: 'Neem een privéjet als het moet. Je moet hier echt zijn. Het bedrijf betaalt wel.'

Ik was erg geschrokken en belde Jason Goldman. Hij had het nieuws ook net gehoord. We spraken over wat we voor Evan konden doen, áls dat al kon. Maar het ontslag zou de volgende dag al worden bekendgemaakt. We moesten tijd zien te winnen.

Ik zei: 'Wat moeten we doen als ik niet al vrijdag terug kan zijn? Kunnen we niet zeggen dat het de naam van het bedrijf geen goed zal doen als ze Ev ontslaan terwijl ik in Japan ben?'

Jason dacht dat de raad misschien het nieuws wel zou willen uitstellen tot ik terug was. Als ik op zaterdag terugvloog, hadden we in elk geval het weekend nog om een strategie te verzinnen.

Daarna belde ik Jack terug. 'Zeg alsjeblieft tegen de raad dat ik geen vliegtuig kan krijgen,' zei ik tegen hem. 'Ze zitten allemaal volgeboekt. Als ze de bijeenkomst zonder mij laten doorgaan, zal dat een vreemde indruk maken. Bovendien moet ik hier een gesprek hebben met een verlamde Twitteraar. Kun je kijken of we het op maandag kunnen doen?'

Jack zei: 'Oké. Ik zal het tegen iedereen zeggen.'

Vervolgens moest ik Livia het slechte nieuws vertellen. Kyoto zou moeten wachten tot de volgende keer dat we naar de andere kant van de aarde zouden zijn gevlogen. Ze had drie dagen in een hotelkamer rondgehangen, alleen maar om meteen terug te vliegen naar San Francisco.

—

Op vrijdag deed ik het gesprek met de verlamde man, en daarna vlogen Livia en ik naar huis. In het vliegtuig had ik tijd om na te denken over wat er aan de hand was. Het was niet zo moeilijk de redenen voor het ontslag van Ev te raden. Ik herinnerde me een vergadering waarin we naar onze cijfers hadden gekeken en zagen dat we op één willekeurige woensdag een geweldige dag hadden gehad. Er hadden zich een miljoen nieuwe gebruikers aangemeld, meer dan tweemaal zoveel als ons dagelijkse gemiddelde van ongeveer driehonderdduizend. Ik vroeg: 'Wat is er dan op woensdag gebeurd?' Het antwoord was dat Twitter de hele vierentwintig uur in de lucht was geweest. Zo simpel was het. Als Twitter niet steeds plat had gelegen, zouden we elke dag een miljoen nieuwe gebruikers hebben gehad. We waren een belemmering voor ons eigen succes. Het was óns bedrijf: als het tegen een muur op botste, kwam dat doordat wij de bestuurders waren. Misschien vond de raad dat we nu eindelijk maar eens technisch stabiel moesten worden. We hadden sneller moeten groeien. We hadden ons geld aan capabele technici moeten besteden. Het duurde een eeuwigheid om een VP-techniek aan het bedrijf te binden.

Evan zou het veld moeten ruimen omdat hij niet snel genoeg voortgang had geboekt.

Ik kwam op zaterdag thuis en regelde twee bijeenkomsten voor zondag bij Twitter op kantoor. Eerst kwamen Evan, Jason en ik bij elkaar. Evan was uit het veld geslagen, maar kon het eigenlijk nog niet geloven. Hij zat daar maar met zijn handen voor zijn gezicht, en dan haalde hij zijn handen weg en zei: 'Godsamme! Het is toch niet te geloven!' En dat was de man die mij mijn grote kans had gegeven. We werkten al heel lang samen en hadden dezelfde doelen. We hadden dit bedrijf samen opgebouwd. En hij was een persoonlijke vriend van me. Het was heel moeilijk om te verwerken wat er nu gebeurde.

Een oprichter van een bedrijf is zelden de juiste man om een geslaagde overgang te maken naar CEO van een heel grote onderneming. Er zijn argumenten te bedenken voor beide kanten van de zaak. Sommige mensen zeggen: oprichters zijn oprichters. Ze zijn op hun best als ze een bedrijf kunnen starten, en CEO's zijn op hun best als ze er een kunnen leiden. Andere mensen stellen dat je het best de oprichter als CEO kunt behouden. Je moet uitzoeken welke steun hij nodig heeft en die aan hem geven.

Jack, onze eerste CEO, had een achtergrond als programmeur. Evan was een programmeur/CEO die Blogger had verkocht voordat hij een kans had gehad om die start-up tot een echt bedrijf om te vormen. Ze hadden geen van beiden echt CEO-ervaring. Het is prima om al doende te leren, maar zodra er miljarden op het spel staan, worden mensen ongedurig. Je kunt het de raad niet kwalijk nemen dat ze zeggen: 'Dit bedrijf groeit heel hard, maar we hebben niemand in de top die dit al eens eerder heeft gedaan.'

Evan en Jack zijn allebei ongelooflijk getalenteerd. Als ik moest zeggen wat ze allebei misten, eigenlijk, was het dat ze onvoldoende communiceerden. De baan van een CEO bestaat voor minstens de helft uit communicatie – omdat het nu eenmaal om mensen gaat. Mensen zijn bang voor wat ze niet weten. Als de raad niet te horen krijgt dat het allemaal goed gaat, nemen ze aan dat het waarschijnlijk slecht gaat.

Dick Costolo had verschillende bedrijven opgericht. Hij was ouder, en hij was een ervaren CEO. Los van de emoties was hij helemaal niet zo'n gekke keus voor deze post.

Maar Ev werd niet teruggezet in functie, hij werd ontslagen. Hij zou zijn badge moeten inleveren en het gebouw uit worden geleid! Dat kwam mij als volslagen onrechtvaardig voor. Het was zo extreem. Het zou eruitzien alsof Evan iets vreselijk ongepasts had gedaan, terwijl dat helemaal niet zo was. Ze hadden dan misschien wel problemen met zijn leiderschap, maar er was geen reden om hem nu ineens zo snel kwijt te willen raken. De mensen zouden van het ergste uitgaan.

We zaten met z'n drieën in de vergaderzaal. Ik zei: 'Ik heb een idee. Als de raad je nou eens niet zou ontslaan?'

Evan zei, ingehouden als altijd: 'Tja, ga door.'

We wisten allemaal dat zijn dagen als CEO achter hem lagen. Als de raad van bestuur over zo'n beslissing stemt, valt daar niets meer aan te veranderen. Zoals de Borg van *Star Trek* zeggen: 'Weerstand is vergeefs.'

Ik zei: 'Waarom ga je dan niet met Dick praten?' Dick Costolo was een vriend van ons voordat we hem eerst vroegen om durfkapitaalinvesteerder te worden en hem later in dienst namen. Hij en Evan konden goed met elkaar overweg. Ze hadden respect voor elkaars werk en ze gingen vaak met elkaar uit – ze gingen zelfs weleens samen naar Las Vegas. Misschien kon Dick deze slag iets verzachten.

Ik ging door: 'Zeg tegen Dick dat je hem niet als interim-CEO zult steunen, maar als de nieuwe CEO. Zeg tegen hem dat je achter zijn benoeming staat en vraag of hij jou als chief product officer aanstelt. Dan kun je de divisie Product managen, wat je toch al eigenlijk graag zou willen. Als je niet gelukkig wordt van die functie, kun je altijd nog vertrekken, maar dan op je eigen voorwaarden.'

Als Evan gewoon iets anders binnen het bedrijf zou gaan doen, zou het niet worden gezien als een dramatisch ontslag. En als hij dan later de post van CPO weer opgaf, wat dan nog?

Ev was een klein beetje getroost door dit plan, maar er was nog wel wat tactisch handelen voor nodig om het echt te laten slagen.

Evan ging het plan dat we zojuist hadden bedacht met Dick in een vergaderzaaltje bespreken. Op de gang konden we een heleboel 'Geen sprake van, godverdommes' door de deur horen komen. Ev kwam naar buiten met een heel chagrijnig gezicht. Met schorre stem zei hij: 'Ik moet even wat frisse lucht hebben', en hij ging naar buiten. Nu was het míjn beurt om iets te proberen. Ik ging de kamer binnen waar Dick zat, deed de deur dicht en zei: 'Wat is er gebeurd?' Dick zei: 'Evan wil godverdegodver een koehandel met me aangaan. Ik doe die CEO-functie niet via een of andere kutdeal.'

Ik zei: 'Waarom niet?'

Hij zei: 'Ik dóé het níét. Ik vind dat plan helemaal niks. Ik dóé het niet.'

Ik zei: 'Dat is een teleurstelling. Ev is een goeie productenman. Je kunt hem heel goed in je team gebruiken, vind je ook niet?'

Hij zei: 'Natuurlijk vind ik dat ook, maar dit is de beslissing van de raad.'

Ik zag wel dat Dick niet overstag zou gaan.

We kwamen allemaal in de vergaderzaal bij elkaar: Dick, Jason Goldman, Amac, Ev en nog wat van onze communicatiemensen. We zouden het nu hebben over hoe we de communicatie rond Evans vertrek moesten aanpakken. We hadden ons plan uitgeprobeerd, en het was mislukt.

Voordat we echter met de communicatiestrategie aan de slag gingen, kon ik me toch niet inhouden. Ik moest denken aan al het werk dat Evan en ik in Twitter hadden gestopt. Ik had mijn succes en carrière aan Evan te danken en ik had het gevoel dat ik nog steeds een heleboel van hem kon leren. Ik moest denken aan hoe weinig mensen er in de wereld zijn die het met me kunnen uithouden en mijn acties waardevol vinden, zoals Evan dat kon. Ik was er echt van overtuigd dat hij een goede leider was en dat het meestal het beste is als de CEO van een onderneming ook de oprichter ervan is. Hij kon niet zomaar vertrekken. Dat was niet eerlijk. Niemand dacht aan Evan als mens en aan wat dit met hem en zijn carrière zou doen. Ik kon er maar niet over uit.

Ik zei tegen Dick: 'Wacht even. Ik heb gehoord wat je zei, maar voor iedereen hier in de kamer wil ik dit toch nog even op een rijtje krijgen. Je wilt Evan niet laten aanblijven als chief product officer, terwijl hij volledig achter je staat, niet als interim-CEO, maar als de echte CEO, en jouw reden om dat niet te doen is dat je je er niet prettig bij voelt. Klopt dat?'

Ik had de volle aandacht van iedereen. Zoals ik al had gedacht, bevestigde Dick wat ik zei: 'Ja, dat klopt, ik voel me er niet prettig bij.'

Niet prettig. Dat was zo'n zwakke emotie vergeleken bij waar Evan nu doorheen ging.

'En wat dacht je hiervan?' zei ik. 'Wat dacht je ervan als jij je goddomme een beetje onprettig voelt voor je vriend. Voor je vriend, verdomme. Een beetje onprettig.'

Er was een lang moment van stilte. En toen zei Dick: 'Oké, ik doe het, verdomme.'

Er was nog wat heen-en-weergepraat, Dick sprak met de raad van bestuur, en uiteindelijk was iedereen akkoord. Het was geregeld. Dick kwam dus uiteindelijk voor Evan op. Ik had hem zover gekregen door min of meer op zijn eergevoel te spelen. Dat deed mij geen plezier, maar ik had het gevoel dat ik een kleine overwinning voor mijn vriend had behaald. Ev kon op zijn eigen voorwaarden bij Twitter weggaan. Dat was wel het minste waar hij recht op had.

Naast wat het voor Evan betekende, was de verandering in management een signaal voor mijzelf. Mijn misschien al te zorgeloze optimisme en 'verander de wereld'-idealisme paste niet meer in een bedrijf waar het leiderschap in beweging was en mijn vrienden onderling een conflict hadden. Ik wilde niet met geweld iets voor elkaar krijgen, en dat ik dat in dit geval had moeten doen, betekende dat we niet allemaal op één lijn zaten.

Er waren allerlei idiote dingen gebeurd, en dat ging zo door. Jack had geen CEO meer mogen zijn en was vervangen door Evan. Twee jaar later werd Evan eruit gegooid. Hij bleef nog zes maanden aan als CPO, waarvan hij er drie met verlof was, en vertrok toen in stilte. Een paar weken nadat het stof van het vertrek van Evan was neergedwarreld, kon Jason Goldman zelf ook opstappen. De relaties waren kapot. Jack en Ev waren geen vrienden meer. Jason Goldman en Dick Costolo waren ook niet al te vriendelijk meer tegen elkaar. Zelfs mijn vriendschap met Jack leed er een beetje onder, hoewel die nooit werd verbroken. Het was een moeilijke tijd. Ik weet nog dat ik in die turbulente dagen bij een raadsvergadering zat en me afvroeg waarom dit allemaal gebeurde. En toen wist ik het antwoord ineens. *Aha, omdat het nu om miljarden dollars gaat.*

Het is een beetje ongewoon om drie CEO's in drie jaar te hebben, maar de turbulentie bij Twitter liet de werkelijkheid zien van wat er gebeurt als een start-up een succes wordt. Er staat meer op het spel. De raad van bestuur bestond voornamelijk uit investeerders. Zij konden geen herontwerp voor het product maken of de software schrijven om een probleem te verhelpen. De macht die zij hadden, was het reorganiseren van het leiderschap.

De veranderingen zagen eruit als machtsvertoon. Ze zagen er vanuit bepaalde gezichtspunten uit als berekening, maar ik geloof niet dat iemand het uit boosaardigheid deed. Als je met al die mensen afzonderlijk zou praten, zouden ze zeggen dat ze deden wat ze het beste voor het bedrijf vonden. Ons succes betekende dat er nu meer op het spel stond. De mensen kregen iets zelfverzekerds over zich. Dat bracht actie teweeg, en er vielen slachtoffers.

Ev was weg. Jack was weg. Jason was weg. Ze waren allemaal nieuwe projecten en kansen aan het verkennen. Ik begon onrustig te worden. Denk maar eens aan het effect van oppervlakte op een smeltend blok ijs. Als je wilt dat een blok ijs sneller smelt, breek je het in stukken zodat er een grotere oppervlakte aan de warmere lucht wordt blootgesteld dan het geval was bij dat ene grote blok. Hetzelfde geldt als je meer positieve verandering probeert te krijgen. In theorie zou je meerdere succesvolle bedrijven moeten beginnen en daarna de leiding daarvan overlaten aan een paar slimmeriken.

Sommige mensen zeggen dat het het verstandigst is om er één bedrijf uit te pikken en en je daar helemaal op te richten, maar voor mijn doel (spreiden = goed) leek mij de oppervlaktemethode het verstandigst. Misschien was het tijd geworden dat ik op zoek ging naar mijn volgende project.

Ik had bekendgemaakt dat ik wegging en stond in 2011 al met één been buiten de deur, toen Amac, ons hoofd juridische zaken, mij even apart nam. Amac wist hoe hard ik de afgelopen vijf jaar had gewerkt om Twitter als een neutrale kracht in de wereld op de kaart te krijgen. Het bedrijf kon wel betrokken raken bij geschillen, maar we waren niet vooringenomen. We kozen niet één kant. Het was ónze software, maar hún probleem. De enige, heel krappe regels die we hadden om mensen van Twitter te schoppen, hadden rechtstreeks te maken met de wet. Nu zei Amac: 'Ik weet hoe precies je bent als het erom gaat om Twitter gescheiden te houden van de overheid...' En toen vertelde hij dat Twitter plannen had voor een vraag-en-antwoordsessie met de president. Mensen zouden op Twitter vragen aan Obama kunnen stellen. Het zou op een aparte website zijn en met een moderator.

Ik dacht even na en zei toen: 'Oké. Dat is net zoiets als de eenmalige microwebsites die we hadden voor de Super Bowl, de verkiezingen in 2008 en andere gelegenheden. Het enige is dat de moderator niet iemand van Twitter moet zijn. We kunnen geen Twittermedewerker naast de president hebben staan. Het zou iemand van het nieuws moeten zijn, een presentator van een actualiteitenrubriek of een deskundige. Als we niet actief meedoen, dan zijn wij alleen maar de tool. Ze zouden het ook over de telefoon kunnen doen.'

Amac was het ermee eens en alles was geregeld – dat dacht ik tenminste.

Mijn laatste officiële dag bij Twitter was 28 juni 2011. De volgende dag stuurde de man die in die tijd overheid en politiek deed bij Twitter een bedrijfsmailtje rond: 'Morgenochtend om acht uur maakt het Witte Huis zijn allereerste "Twitter-vraag-en-antwoordsessie" met president Obama bekend. De sessie staat gepland voor aanstaande woensdag 6 juli om 11.00 uur, en zal live worden gestreamd uit de East Room van het Witte Huis. Jack Dorsey is de moderator.' (Een van de eerste besluiten van Dick Costolo als CEO was dat hij Jack weer in de schoot van de bedrijfsleiding had opgenomen, op een heel zichtbare manier, hoewel Jack zich algauw weer op Square leek te richten.) Dit mailtje was het eerste dat ik las die dag, nog in bed, op mijn telefoon. Ik was ontsteld. Ik stelde me Jack voor, staand naast de president alsof hij wou zeggen: 'Niet alleen is Twitter dol op de regering van de Verenigde Staten, maar we zijn ook dol op Obama!' En dat was nou net waarvoor ik altijd zo hard mijn best had gedaan om dat te vermijden.

Zonder er maar een moment over na te denken drukte ik op 'Allen beantwoorden' en typte:

> Toen Amac dit de eerste keer aan mij voorlegde, zei hij dat niemand van Twitter als moderator zou optreden, specifiek om te benadrukken dat we een neutraal technologiebedrijf zijn. Ik ben het er zeer mee oneens dat iemand van Twitter als moderator meedoet, wie dat ook is, maar vooral als het om een van de oprichters gaat.
> Dat is echt helemaal verkeerd en dat heb ik vele malen uit de doeken gedaan. Doe alsjeblieft beter je best om een behoorlijke moderator aan te trekken uit een gerespecteerde nieuwsorganisatie. En niet onze oprichter die met het

product belast is. Dit gaat tegen drie jaar werk in om buiten het inhoudelijke verhaal te blijven en onze neutrale positie te behouden.

Amac, wat is er gebeurd? Dit is absoluut het tegenovergestelde van waarover je mijn advies hebt gevraagd en het was nou net het enige waarvan ik heb gezegd dat we het niet moesten doen, en daar was je het van harte mee eens. Het was zelfs het enige waarvan ik zei dat we het niet moesten doen. Doe het alsjeblieft, alsjeblieft niet op deze manier. We moeten er niet op deze manier bij betrokken worden.

Biz

Ik was kwaad. Tijdens de Arabische Lente was het zo moeilijk geweest om de neutraliteit van Twitter te behouden, om diplomatiek door dat hele mijnenveld te laveren. Al die jaren werk zouden in één dag ongedaan worden gemaakt. Er kwamen onmiddellijk antwoorden binnen op mijn gloedvolle mailtje: velen steunden mijn boodschap, sommigen vroegen of ik me ervan bewust was dat ik mijn kritiek aan het voltallige bedrijf had gericht. Godsamme, ja natuurlijk.

Technisch gesproken was ik nog steeds adviseur van Twitter, maar er werd niet naar me geluisterd. Ze lieten Jack die vraagen-antwoordsessie doen. En dat was mijn laatste bedrijfsmailtje.

Uiteindelijk is een beslissing zoals de keus voor een moderator voor een vraag-en-antwoordsessie een kwestie van pr versus filosofie. Het Twitter dat ik mede had opgericht en gevormd, had een idealistische langetermijnvisie. We wilden de mensheid verenigen. Het was zelfs zo dat ik vele jaren eerder iemand voor de sociale verantwoordelijkheid van het bedrijf had aangetrokken dan een verkoopman. De grootste waarde die ik in Twitter zag, was het vermogen om informatie onmiddellijk over te brengen en mensen sneller en gezamenlijk te laten reageren in moeilijke tijden, of soms gewoon voor de lol. In het geval van een aardbeving, een revolutie, een overwinning, een feest: wat kon dan de rol van Twitter zijn? In mijn visie koos Twitter geen partij. We bleven buiten geschillen. Dankzij deze neutrale houding kon Twitter over culturen en godsdiensten heen werken en werkelijk democratisch zijn.

Het was altijd mijn taak geweest om te zeggen wat het bedrijf deed en waarom dat zo was. Ik was de idealist. Ik had geen politieke beweegredenen en ik probeerde niemand goed of slecht te laten overkomen. Het was mijn taak om de noodklok te luiden over de beslissing ten aanzien van die vraag-en-antwoordsessie of wat ook maar naar mijn idee onze missie in gevaar kon brengen, ook als dat onaangenaam was. Ik mag graag denken dat ik een merk heb opgebouwd dat synoniem is met vrijheid van meningsuiting en het belang van het democratiseren van informatie.

Maar Dick was degene die het bedrijf nu leidde. Ik was ervan overtuigd dat goeddoen in de wereld de sleutel was tot het succes van Twitter. Ik wilde kapitalisme een nieuwe definitie geven. Door je aan te melden voor Twitter werd je onderdeel van iets goeds. Dick moest van een bedrijf met een dergelijk aura een winstgevende onderneming maken. Geen geringe taak.

Vanaf het begin had ik een moreel kompas en een rechtvaardige ziel in het bedrijf ingebouwd. Ik had stukje bij beetje de geest van goeddoen in het bedrijf gebracht door het bedrijf het goede voorbeeld te laten geven. In dat opzicht had ik zelf al het mogelijke gedaan. Een van de laatste projecten waarin ik het voor het zeggen had, was de verhuizing van Twitter naar een nieuw kantoor in het Mid-Marketgebied van San Francisco. In die tijd was dat een vervallen deel van de stad waar onze aanwezigheid veel kon uitmaken. En inderdaad, na onze verhuizing volgden andere bedrijven algauw en begon de buurt tot nieuw leven te komen.

Nu was het aan Dick om het bedrijf te laten groeien en die cultuur levend te houden. En het was aan mij om te hopen dat onze vroege investering in altruïsme samen met het bedrijf zou groeien.

Nu zat ik kleine schermutselingen uit te vechten. En dat was nou net niet hoe ik mijn tijd wilde besteden. Ik vertrouwde erop dat Dick en het bedrijf in grote lijnen de juiste intuïtie hadden. Het ging prima met de zaken, en de spirituele basis lag goed. Twitter was klaar voor het grote succes. En het was nu tijd voor mij om iets heel anders te doen. Twitter was nu van hen.

—

Bij Blogger hadden mijn collega's en ik een stelling bedacht die een samenvatting was van onze overtuigingen: 'De open uitwisseling van informatie kan een positief mondiaal effect hebben.' Die gedachte hadden we meegenomen naar Twitter. De stelling werd zelfs een stilzwijgend, kwalitatief initiatief. We hadden ook kunnen zeggen dat onze missie bij Twitter was: 'De open uitwisseling van informatie laten toenemen voor een positief mondiaal effect.' Na zes jaar, honderden miljoenen actieve gebruikers en miljarden tweets per dag konden we onze missie als vervuld beschouwen.

Toen ik er wegging, was Twitter niet alleen succesvol, het was ook het empathische bedrijf dat ik voor ogen had gehad. In plaats van een verhuizing naar Mountain View, zoals veel grote technologiebedrijven hadden gedaan, hadden we besloten naar een vervallen buurt in het centrum van San Francisco te verhuizen. Dick vormde met het management een speciaal team om zich actief met de buurt te bemoeien en uit te zoeken hoe Twitter het best kon bijdragen aan de verbetering daarvan. In mijn nadagen bij het bedrijf werkten ze aan de afronding van die activiteiten. In de herfst van 2010, slechts zes maanden na het op de markt brengen van het eerste advertentieproduct, lanceerde het bedrijf 'Twitter Ads for Good'. Daarmee kunnen non-profitorganisaties zich aanmelden voor gratis uitgelichte tweets en accounts.

Twitter deed goede dingen, en daarmee zou het ook zonder mij doorgaan.

Het was voor mij tijd om uit te zoeken wat ik nu wilde gaan doen. Terwijl ik daarmee bezig was, zocht ik Evan en Jason op om zonder een concreet doel in gedachten wat met hen te brainstormen. We brachten onze oude bedrijfsnaam Obvious weer tot leven en investeerden wat in start-ups. We praatten over ideeën voor nieuwe bedrijven. We huurden een zakelijke coach in, die een analyse maakte van onze sterke en zwakke punten – hoe we onze talenten konden uitbouwen, de dingen waar we goed in waren konden vergroten en onze zwakten konden wegwerken. Jason en ik hielpen Evan met de start van een publiceerplatform, Medium geheten. Er zijn misschien ondernemers die de tijd nemen tussen hun start-ups in om een MBA te halen of een tijdje een ondernemersfunctie elders te bekleden. Maar ik niet: ik deed Obvious met de anderen.

Dit intermezzo gaf mij de tijd om een paar van de concepten en theorieën waar ik al jaren aan werkte op een rijtje te zetten. We keken vanuit een hoge positie, met een langetermijnblik naar wat we als ondernemers konden doen in onze stad, in ons land en in onze wereld. Mensen zijn voorstanders van verandering; hulpmiddelen zijn nuttig. We wisten niet wat we zouden bouwen, maar we hadden allemaal het verlangen om systemen te bouwen waarmee mensen beter zouden kunnen samenwerken om iets beters van de wereld te maken.

Ik dacht na over alle principes die ik in Twitter had ingebouwd: empathie, altruïsme, menselijkheid. Dankzij DonorsChoose.org, Product(RED) en mijn betrokkenheid bij andere goede doelen had ik gemerkt dat het voldoening geeft om andere mensen te helpen. Het geeft betekenis aan mijn leven. Maar bovenal had ik iets geleerd van Livia's dagelijkse voorbeeld. In haar werk bij WildCare had zij een schop in haar maag gekregen van een hert, was ze recht in een oog gespoten door een stinkdier, in haar gezicht geklauwd door een uil en had ze met mond-op-mondbeademing een eekhoorn gereanimeerd. Door dat alles, en elke dag daarna, had ik haar zien gloeien van empathie en onbaatzuchtigheid. Omdat ik nu eenmaal de hele tijd bij haar in de buurt ben, móést ik daar wel doordrenkt van raken. Ik ben dan misschien wel een fatsoenlijke kerel, maar dat komt vooral doordat ik tot in mijn diepste wezen door haar ben beïnvloed.

Dat besef heeft me geleid tot de definitie van mijn levenswerk. Ik wist hoe ik wilde dat mijn werk, mijn richting en mijn erfenis zouden zijn. Ik besloot mijn leven te wijden aan het helpen van andere mensen. Maar dat moest dan wel via iets waar ik goed in was.

Onze werkwijze, de projecten die we kiezen en de kleine dingetjes die we elke dag doen, komen allemaal bij elkaar opgeteld tot een geheel dat groter is dan de som der delen. Als filantropie of liefdadigheid of goedheid – noem het wat je wilt – goed in de stof van een onderneming verweven zit, dan doe je automatisch goed terwijl je gewoon bezig bent. Ik wilde de succesmetrieken van het kapitalisme herdefiniëren volgens de definitie die ik bij Twitter had ontwikkeld. Ten eerste: een zinvol, positief effect hebben. Ten tweede: echt van je werk houden. Ten derde: sterke inkomsten genereren. Zo kunnen ondernemingen het best een samengesteld effect in de wereld bereiken. We kunnen goeddoen, simpelweg door het goed te doen. We kunnen werken aan het creëren van een gezondere aarde, een slimmere wereld, en zelfs betere mensen.

Ik wilde dat mijn volgende project een manifestatie zou zijn van alles waarin ik geloof.

18

DE WARE BELOFTE VAN EEN VERBONDEN MAATSCHAPPIJ

Mijn zoon Jake werd geboren in de vroege uren van 21 november 2011. Later die morgen, toen Livy lekker in de verkoeverkamer lag, haalde ze me met een verzoek uit mijn hulpeloze doch opgetogen toestand.

'Ga naar buiten,' zei ze, 'en haal een décafé met sojamelk en wat fruit voor me.'

Het was een slapeloze nacht geweest. Ik was uitgeput (als een man dat mag zeggen de dag nadat zijn vrouw is bevallen), maar ik stuiterde van de energie. Ik herhaalde in mezelf steeds maar de gekregen instructies, zodat ik met de juiste bestelling zou terugkomen, en sprong in Livy's Subaru Outback. *Fruit, sojamelk, fruit, sojamelk, fruit...*

Vlak bij Marin General Hospital is een winkelcentrum met een Starbucks. Ik draaide het parkeerterrein op achter een gloednieuwe zwarte Prius. Plotseling remde die. Er waren vijf vrije parkeerplekken vlakbij, maar de chauffeur stopte en wachtte tot iemand met een winkelwagentje haar miljoen boodschappenzakken in haar auto had geladen. *Dat kan toch niet waar zijn!*

Val dood, dacht ik, en wilde links om de Prius heen. Maar ik vergat rekening te houden met de afmetingen van Livy's Subaru. Ik ben aan mijn eigen kleine autootje gewend, een Mini. De logge Subaru paste niet tussen de Prius en de rij geparkeerde auto's links, en ik schampte net de zijkant van de Prius.

Tot zover snel even naar Starbucks.

Ik keek door het raampje aan de passagierskant door het chauffeursraampje van de Prius naar binnen. Een hoogbejaarde vrouw zat achter het stuur. Ze draaide zich naar mij toe, keek me recht in mijn ogen en zei: 'Stik, jij klootzak.' Ik kon haar niet horen, maar het kostte me geen moeite om te liplezen.

We stapten uit. De vrouw was boos. Ze bleef maar tegen me schelden, heel erg zelfs.

Ik probeerde haar te kalmeren en zei: 'Het komt allemaal weer goed. Het is alleen maar een kras. De auto's kunnen gemakkelijk worden gerepareerd. Ik betaal de schade. Luister, ik doe het zo. Ik schrijf mijn verzekeringsgegevens voor u op.'

Ik schreef mijn telefoonnummer op, mijn naam, alles waarvan ik dacht dat ze het nodig had. Terwijl ik dat deed, zei ik: 'Ik kom trouwens net van het ziekenhuis. Mijn vrouw is net bevallen van onze eerste baby. Het is een jongetje.' Ik probeerde extra aardig te zijn. Ik had haar met een probleem opgezadeld, maar ik zou het allemaal weer in orde maken. Ik dacht dat ik haar met een beetje gepraat over gewone dingen wel rustig zou krijgen. 'Ik wou dat we elkaar onder leukere omstandigheden hadden ontmoet,' zei ik. 'U ziet eruit als een aardige dame.'

Ze zei: 'Zei je dat je net een zoon hebt gekregen?'

Er kwam onmiddellijk een beeld bij me op van Livy met het kleine verrimpelde pakketje dat Jake was. Ik was vader. Ik had een zoon.

Ik glimlachte. 'Jaaa.'

Ze zei: 'Nou, dat is de auto van míjn zoon die je net naar de verdommenis hebt geholpen', en ze begon weer tegen me te schreeuwen.

Terug in het ziekenhuis vroegen de verpleegsters waarom het zo lang had geduurd. Ik vertelde dat ik een aanrijding had gehad. Ze vonden het een prachtig verhaal en spotten met me dat dat typisch iets voor een nieuwbakken vader was.

Het is een onbeduidend moment. Een uitgeputte jonge vader. Een excentrieke oude vrouw. Een oplosbaar probleem. De hele dag maken we keuzes die gevolgen hebben, en de keuze die me bovenal interesseert, is hoe we met elkaar in interactie staan. Horen we elkaar? Kunnen we tot empathie komen? Wat verandert er als we een klein beetje persoonlijke informatie hebben? Als ik ontdek waarom de oude dame zo boos is (ze vertelt me bijvoorbeeld dat ze niet lang geleden haar man heeft verloren), kan ik begrijpen waarom ze maar steeds tegen me blijft schelden nadat ik de auto van haar zoon heb geschampt. *Die vreemde kerel was net vader geworden – het was een belangrijk moment voor hem. Deze bejaarde vrouw had een jaar eerder haar man verloren met wie ze zestig jaar getrouwd was geweest – elk klein ongemakje was voor haar de druppel.* Hoe meer we met elkaar verbonden zijn, hoe meer empathie we voelen.

Internet en mobiele apparaten hebben de wereld verbonden zoals nog nooit eerder mogelijk is geweest. Het begin van sociale media markeerde wéér een steile versnelling op het gebied van connectiviteit. Al bijna tien jaar lang zijn we bezig met het 'bevrienden', 'volgen', 'leuk vinden' en op andere manieren vergaren van een wonderbaarlijk netwerk van virtuele verbindingen, maar zonder een doel voor de lange termijn. Waar dient het allemaal voor?

Verbindingen kweken empathie. In de zomer van 2008 zat een vrouw, Amanda Rose, met een paar vrienden in een café in Londen en kreeg het idee om een stel Twittervrienden bij elkaar te brengen. Ze besloot geld voor het evenement te vragen en om donaties te vragen in de vorm van eten in blik, allebei voor een opvangcentrum voor daklozen bij haar in de buurt, The Connection. Ze noemde het het Harvest Twestival, het oogst-twestival, en – boem! – in één enkele avond had ze duizend pond bij elkaar.

Onder de indruk van deze ervaring breidde Amanda haar inspanningen uit. Ze zei: 'Hé, jullie in tweehonderd steden overal ter wereld, laten we allemaal iets organiseren en geld bijeenbrengen.' Boem! Ze zamelde 264.000 pond in voor Charity: Water. Toen besloot ze er écht wat van te gaan maken. En als ik 'écht wat' zeg, dan bedoel ik dat ook. Twestival is nu een wereldwijd initiatief voor geldinzameling via sociale media, en het helpt groepen mensen overal ter wereld met het gebruik van sociale media om liefdadigheidsevenementen van de grond te krijgen. Wat heet 'rente op rente'-altruïsme!

Twestival en andere dergelijke initiatieven bewijzen dat de zwermvorming die ik in het begin van de Twittertijd bij South by Southwest had gezien, meer is dan een stelletje nerds die een beslissing nemen over naar welk café ze gaan. Het laat iets zien van wat er gebeurt als willekeurige groepen mensen één geheel worden en samen iets doen. Destijds op sxsw zag ik een flits van een utopische toekomst. Kleine dagdromen kunnen uitkomen.

Stel je dat soort gedrag voor op een schaal van zes miljard mensen. Hoe zou het zijn als we niet allemaal burgers van een bepaald land of een bepaalde staat waren? Hoe zou het zijn als we burgers van de wereld waren? Dat zou geweldig zijn.

De geestelijk vader van *Star Trek*, Gene Roddenbery, zag een utopische toekomst voor zich waarin de mens honger, misdaad, armoede en oorlog had uitgebannen. Een toekomst waarin wij mensen ons verenigen om het universum te exploreren. Hoe kunnen we daar, of bij een redelijke versie daarvan, uitkomen, en dan exclusief de slechte Borg ('Weerstand is vergeefs')?

Technologie is het bindweefsel van het mensdom. Als dat weefsel goed is ontworpen, kan het het goede in ons mensen naar boven brengen. Het kan ons verbinden tot één reusachtige, emergente, superintelligente levensvorm. Dat is wat ik zag gebeuren met Twitter.

Zwermvorming is een triomf van de mensheid. Het kan allerlei dingen mogelijk maken. Stel je eens voor: als de mens als een emergente levensvorm zou kunnen samenwerken, dan zouden we dingen in één enkel jaar voor elkaar kunnen krijgen die ons anders honderd jaar zouden kosten. Stel je eens voor: wat zou er gebeuren als alle astrofysici van de hele wereld hun ego opzij zouden zetten en zouden samenwerken om een reis naar Mars mogelijk te maken? Of als alle milieuwetenschappers zouden samenwerken om iets te vinden tegen de opwarming van de aarde. Of als de beste oncologen ter wereld met elkaar kanker zouden aanpakken, de ene soort na de andere. Er zijn maar 114.000 mensen op de wereld die over dertig miljoen dollar of meer kunnen beschikken. Hoe zou het zijn als die in een Googlegroep zaten en zouden besluiten in één ding te investeren om de loop van de geschiedenis te veranderen?

En dan zijn wij er ook allemaal nog, en met elkaar zijn we

machtiger dan welk alleenstaand iets dan ook. Kun je je voorstellen wat we voor elkaar zouden kunnen krijgen?

Dit soort ideeën ratelden door mijn hoofd toen ik een eindje ging lopen met Ben Finkel. Ben en ik kennen elkaar sinds 2007, toen een gemeenschappelijke vriend mij voorstelde als mogelijke adviseur voor zijn start-up, die later door Twitter werd opgekocht. Ben en ik gingen graag ergens koffiedrinken, een beetje rondlopen en praten over allerlei ideeën. Op een mooie, zonnige decemberdag in 2012 liepen we door Yerba Buena Gardens, een park in San Francisco, en we praatten over verschillende dingen toen ik ineens ergens aan moest denken. Het was alsof mijn hersenen me een vraag hadden gesteld, namelijk: als ik nu een zoekmachine moest bouwen, op basis van het technologische landschap van tegenwoordig, hoe zou die er dan uitzien?

Maar dan niet echt een zoekmachine. Ik stelde de vraag in iets andere bewoordingen aan Ben: 'Stel nou dat iemand ons dwingt een systeem te bouwen waarmee je elke vraag kunt beantwoorden die je erin stopt. Als dat onze uitdaging zou zijn, wat dan?'

Hoe werkt een zoekmachine? Documenten op internet zijn door middel van hyperlinks met elkaar verbonden. Als je de zoekmachine een vraag stelt, zoekt die een document waarvan een algoritme heeft bepaald dat dat gezien die vraag het meest relevante is.

Maar nu heb je bijna één actieve mobiele telefoon per persoon in de hele wereld. Praktisch iedereen heeft een mobiele telefoon.

Ik begon mijn eigen vraag te beantwoorden. 'Als we nu de zoekmachine zouden moeten uitvinden, zouden we dat voor mobiel doen. Telefoons zijn de hyperlinks van de mens.' Mijn gedachte was ineens eenvoudig en voor de hand liggend, en tegelijkertijd voor ons allebei spannend. Mensen zijn al met elkaar verbonden. Al die vrienden en favorieten en volgers vormen met elkaar een netwerk. Een netwerk dat de strijd aankan met het vermogen van welke zoekmachine dan ook om snel en nauwkeurig documenten uit te kammen. Er is ruimte om het hele idee van hulp krijgen opnieuw uit te vinden.

Ben zei: 'God ja, je hebt gelijk!' En hij had zijn eigen enthousiaste ideeën over hoe dat zou kunnen werken.

Toen zei ik: 'We zouden een systeem kunnen bouwen waarin je een vraag kunt stellen. Het systeem stuurt die vraag dan naar mensen in je sociale netwerken – twee stappen ver of zo. Als ze het niet weten, kunnen ze de vraag doorsturen. Gegarandeerd is er íémand die het antwoord wél weet. In zes stappen ken je tenslotte de hele wereld, op hypersnelheid. We zouden een systeem kunnen bouwen dat elke vraag kan beantwoorden. We hebben alleen maar mensen nodig die de vraag door kunnen sturen.'

We zagen al dat mensen dit soort problemen probeerden op te lossen met behulp van noodgrepen. Ze vormen Yahoogroepen, ze stellen vragen op Twitter, Instagram en Facebook. Maar er was geen technologie waarmee mensen snel en elegant een antwoord op elkaars vragen kunnen geven zonder andere afleidingen, op een mobiele telefoon – met nog plaatjes erbij ook. Ben en ik begonnen echt enthousiast te raken. Een app die lijkt op een zoekmachine die een antwoord kan geven op alle vragen omdat die worden verstuurd naar mensen – met werkelijke kennis, werkelijke ervaring. Het was beter dan kunstmatige intelligentie – het was feitelijke intelligentie. Het zou de toekomst kunnen zijn van het zoeken. Mensen die mensen helpen. Het klonk als íéts! Een start-up! Dat was ons wandelingetje.

De volgende dag belde ik Ben. 'Ik zit er nog steeds over na te denken.'

Hij zei: 'Ik ook.'

De eenvoudigste manier om Jelly uit te leggen is dat het een tool is voor mensen om elkaar te helpen.

Het gaat dus niet over technologie, het gaat over mensen. Het concept is zo simpel. Een vraag naar een vriend doorsturen die misschien het antwoord weet. Mensen die andere mensen helpen is het mooiste wat er is. Dit idee maakt gebruik van het feit dat onze maatschappij al verbonden is. Hoe zouden al die vrienden, volgers en contactpersonen elkaar kunnen helpen? Dit was waar we allemaal voor hadden gewerkt: een manier waarop wij allemaal burgers van de wereld zouden kunnen zijn.

Ben en ik konden het idee niet van ons afzetten.

We besloten het Jelly (kwal) te noemen omdat kwallen geen hersenen hebben. In plaats van hersenen hebben ze een 'zenuwnetwerk', zoals dat wordt genoemd. Als er sprake is van dreiging, is er slechts één los verbonden neuron van de miljoenen nodig om te vuren, en plotseling worden vele afzonderlijke kwallen als het ware één kwal en dat dient dan als brein voor de hele groep. Als de dreiging voorbij is, drijven de kwallen gewoon weer verder, ieder voor zich.

De kwal bestaat al zo'n zevenhonderd miljoen jaar (wat nogal een prestatie is voor iets zonder hersenen). Maar de gedachte dat een groep individuen met elkaar iets kan bereiken wat ze afzonderlijk niet kunnen doen, omdat ze onmiddellijk via losse verbindingen met elkaar in contact kunnen komen, is een korte blik in de toekomst.

Zo zien we de werking van Jelly voor ons. Alleen kan nu, in dit unieke tijdperk van mobiele connectiviteit, een wereld van afzonderlijke mensen onmiddellijk reageren op de vragen van anderen op een manier die het geheel slimmer maakt dan de som der delen. De ware belofte van een verbonden maatschappij is dat mensen elkaar helpen. Dat is de reden dat we besloten Jelly te maken.

Ik legde het idee voor Jelly voor aan een paar mensen voor wie ik het meest respect heb, stiekem hopend dat ze zouden zeggen dat het mijn tijd niet waard was, omdat ik wist dat ik, als ik ermee begon, alles moest geven wat ik in me had. Ik begon bij Jack Dorsey.

'Hou maar op,' zei hij. 'Het is iets wat precies bij je past. Het bevat alles wat je dierbaar is. Je móét het doen.'

Ik probeerde het uit bij drie vrienden die ik briljant vind: Jack, Kevin Thau en Greg Pass. Ik had het altijd over Kevin gehad als 'de meest geliefde medewerker van Twitter'. Hij kwam bij Twitter in 2008 om de mobiele strategie te gaan doen en leidde uiteindelijk al onze mobiele initiatieven. Greg Pass was een van de oprichters van Summize en bij Twitter de eerste chief technology officer. Alle drie die mannen zeiden dat ik het moest doen. En Ben Finkel wilde bij Twitter weggaan en er met mij mee beginnen. Toen gingen Livy en ik eten bij Kevin Thau. Voor de derde keer zei hij: 'Jelly dus. Mij heb je.'

Ik zei: 'Is dat wat de kids tegenwoordig zeggen? "Mij heb je" betekent dat je het een goed idee vindt?'

Hij zei: 'Het betekent dat ik met je wil samenwerken.'

Ik voelde me ineens draaierig in mijn maag: het zag ernaar uit dat ik er echt mee door moest gaan. Kevin had twintig jaar ervaring in de mobiele industrie. Hij is een veelzijdig zakenatleet – een technische man, een zakenman. Als ik de steun van zowel Kevin als Ben had, zou ik het idee in een bonafide bedrijf kunnen omzetten.

Ik had mezelf altijd beschouwd als de 'beste ondersteunende acteur voor Evs beste acteur'. Het was geweldig geweest om met hem samen te werken. Het had mijn leven veranderd. Ik zal hem altijd beschouwen als een goede vriend. Maar nu ik op eigen benen stond, voelde ik een nieuwe golf van zelfvertrouwen.

En toch was er in mij iets van teleurstelling. Ik vond het fijn om drie dagen per week voor Obvious te werken en de rest van de week te besteden aan mijn pas uitgebreide gezin. Vandaar het rare gevoel in mijn maag. Maar ik kon dit idee niet loslaten. Met Jelly zouden mensen elkaar kunnen helpen. Het zou een mobiele applicatie zijn die eruitzag als een zoekmachine, maar het zou toch heel anders zijn: het zou gaan om *mensen* die query's beantwoorden, niet *computers*.

Zou het niet geweldig zijn als iedereen altijd ergens in zijn achterhoofd de gedachte kon hebben dat er mensen zijn die hulp nodig hebben? Zou het niet geweldig zijn als iedereen altijd ergens in zijn achterhoofd de gedachte kon hebben dat er mensen zijn die hulp kunnen bieden?

De beste poging tot mondiaal burgerschap is dat je empathie cultiveert. Het begint allemaal met het vermogen jezelf in andermans positie te verplaatsen. *Die oude dame staat tegen me te schelden omdat ik een kras op haar auto heb gemaakt. Ik ga niet terugschelden. Ik ga naar haar luisteren. Ik heb mijn eigen sores op dat moment, maar er zijn ook nog andere mensen op de wereld. Zij hebben problemen; ik kan hen helpen.* Als je die spier traint, als iedereen dat doet, dan gaan we de goede kant uit voor de toekomst.

Jelly zal de wereld niet redden, maar misschien geeft het de wereld wel een zetje in de richting van meer empathie. Ik besloot het dan maar te proberen.

Ik was mijn arbeidzame leven begonnen als Biz Stone, genie. Ik wist dat ik wel iets kón, maar ik wist niet precies wie ik was, waar ik in geloofde en wat ik wilde bereiken.

Nu heb ik zo'n beetje uitgezocht wat ik doe en ben ik opgehouden mezelf een genie te noemen. In plaats daarvan ben ik nu een man die gelooft in de triomf van de mensheid met een klein beetje hulp van de technologie. Dat is dan misschien niet zo krachtig of groots als een genie, maar het betekent heel veel meer voor me.

En dus zorgde ik ervoor dat Jelly zijn eigen specifieke niche uithakte in de wereld van de technologische hulpmiddelen die de mensheid met elkaar verbinden. Of mijn nieuwe bedrijf een succes wordt, weet geen mens, maar het wordt voortgedreven door de principes die mij het meest inspireren.

Ik heb tegen ons team gezegd dat we, als we honderden miljoenen mensen zover kunnen krijgen dat ze de gedachte om iemand anders te helpen een plaatsje in hun geheugenspier geven, misschien een positief effect kunnen hebben op het mondiale empathiequotiënt. De grote, ambitieuze toekomstvisie van Jelly is het tot stand brengen van empathie in de hele wereld.

Op een of ander cumulatief onbewust niveau vindt de mens zijn weg in de meest hyperverbonden tijd in onze geschiedenis. We kunnen digitale foto's met een retro-look met elkaar delen, we kunnen games spelen met vrienden van vrienden en we kunnen de hartslag van de aarde volgen in maximaal 140 karakters.

Er zit echter nog iets veel belangrijkers voor de mensheid in het vat nu we op deze manier leven.

Waarom bouwen we enorme persoonlijke netwerken? Voor de meeste mensen is deze vraag niet de primaire drijfveer van ons continue verlangen om op de knop 'Volgen' te drukken. De meesten van ons denken niet na over de langetermijntoepassing van die verbindingen. We willen gewoon wat foto's delen met vrienden, onmiddellijk toegang krijgen tot informatie enzovoorts. We willen Letterpress spelen en niet vergeten wie er jarig is. Onmiddellijke toegang tot informatie en mensen is fantastisch. Sinds de komst van deze pas ontdekte vorm van connectiviteit doen we boeiende en leuke dingen. Maar toch stel ik de vraag: 'Waarom?'

Waarom zijn we de meest hyperverbonden mensheid geworden die ooit op aarde heeft bestaan? Het gaat er niet om dat we vrienden en familie de hele tijd in de gaten willen houden. Het gaat niet om gamen. Het gaat zelfs niet om geavanceerd aan informatie kunnen komen of op de hoogte blijven van wat er in de wereld gebeurt. De ware belofte van een verbonden maatschappij is dat mensen elkaar helpen.

Ik zeg het nog maar een keer: mensen zijn in wezen goed. We verbinden ons met elkaar om elkaar te kunnen helpen, om te kunnen samenwerken. Is er een betere reden denkbaar?

Het volgende hebben we allemaal weleens gedaan: we rijden op de snelweg en we zien iemand met zijn auto op de vluchtstrook staan. In een fractie van een seconde gaan er drie dingen door ons hoofd. In wezen zijn mensen goed, dus onze eerste gedachte is: *Ik moet stoppen om te helpen.*

Maar dan komen er andere gedachten op.

Stel dat het een gek is.

Ik zit daar misschien wel uren aan vast.

Ik kom te laat waar ik wezen moet.

Het derde wat we doen, is onszelf een leugentje vertellen. *Die man is waarschijnlijk wel lid van de Wegenwacht.* Of: *Er komt waarschijnlijk al een vriend van die man aan.* Misschien zelfs: *Hij is waarschijnlijk lid van de Wegenwacht en er komt al een vriend aan, dus als ik stop, ben ik alleen maar tot last.* Vervolgens gooien we het schuldgevoel op de stapel van die dag en zoeven verder.

Maar als we nu eens waren gestopt? Wat was er gebeurd als we langs de kant van de weg waren gestopt en hadden gevraagd: 'Wat is het probleem? O, een lekke band? Hebt u een reservewiel? Dan kan ik dat er wel even voor u opzetten.' Laten we zeggen: we hebben de band verwisseld, met voldoening het vuil van onze handen afgeklopt, een hartelijk dankjewel geïncasseerd en zijn weer vrolijk onze weg vervolgd.

Hoe goed zouden we ons voelen? We zouden ons geweldig voelen! *Wat ben ik toch een toffe peer. Ik ben gestopt en heb iemand in nood geholpen.* We zouden ons terecht heel trots op onszelf voelen. We zouden zelfs elke gelegenheid aangrijpen om onze filantropische inspanning met anderen te delen. 'O, zijn jullie vandaag naar het werk komen rijden? Dat doet me denken aan hoe ik die man heb geholpen...'

Iedereen beschikt over empathie, maar soms ligt die eigenschap ergens te sluimeren totdat je een ervaring hebt die je de ogen opent. Mensen gaan naar Afrika. Een dokter redt het leven van hun kind. Een dierbare vriend heeft hulp nodig. Dat zijn specifieke, unieke situaties die ons wakker maken en ons ineens op een nieuwe manier de wereld laten zien. Maar hoe kan empathie wakker worden gemaakt over hele maatschappijen heen?

Als het zo makkelijk was om anderen te helpen, zouden we het allemaal veel vaker doen. Stoppen om een wiel te verwisselen kost tijd, handigheid, vertrouwen dat er niets onveiligs met je gebeurt en misschien de noodzaak om daarna schone kleren aan te trekken. De ware belofte van een verbonden maatschappij is dat ons sluimerende empathisch potentieel wakker wordt gemaakt. Het betekent de inzet van al die mobiele, sociale connectiviteit, zodat het helpen van anderen net zo makkelijk wordt als een veegbeweging met je duim. Jelly is misschien niet het antwoord, of misschien niet het enige antwoord, maar in elk geval zit er de juiste voorwaarts sturende vraag achter.

Mondiale empathie is de triomf van de mensheid.

SLOTWOORD

De verbintenissen die ik bij Twitter ben aangegaan, zijn voor het leven. Ik heb een paar deals tot stand gebracht tussen liefdadigheidsorganisaties, zoals DonorsChoose.org, Product(RED) en Jacks bedrijf Square. Ik zit in de raad van bestuur van Evans bedrijf Medium. Jack en Evan zijn durfkapitaalinvesteerders en persoonlijk adviseurs voor mij en mijn bedrijf Jelly. Ik ga met hen allebei privé om en zie hen elke week, samen of apart van elkaar.

Twitter ging naar de beurs net toen ik de laatste hand aan dit boek legde. Het bedrijf heeft ontzaglijk veel aandacht in de media gekregen. Iedereen sprak erover. Twitter was trending op Twitter. Als een bedrijf naar de beurs gaat, is er altijd veel over te zeggen, maar voor mij blijft Twitter een eenvoudig hulpmiddel dat geweldige kansen creëert. Dat heeft het in elk geval voor mij gedaan. Ik heb meegeholpen aan het maken van Twitter, en net zoals met alles wat we ervaren, heeft Twitter meegeholpen om mij te maken tot wie ik ben.

Ik zou willen stellen dat de lessen in dit boek typisch zijn voor praktisch alles wat iemand kan ervaren. Als je verder kijkt dan de dagelijkse activiteiten van naar je werk gaan, koffiedrinken, werken, nog meer koffiedrinken, mailtjes van collega's doorsturen naar andere collega's, naar huis gaan naar de rekeningen die je deze week al dan niet kunt betalen, als je voorbij de dagelijkse sleur kijkt, vind je de waarheid over hoe en waarom je 's morgens opstaat en wat er kleur geeft aan het zwart-witte van de realiteit. Passie, risico, originaliteit, empathie, mislukking, optimisme, humor, wijsheid verkregen van anderen – dat zijn de krachten die achter onze besluiten zitten, die veroorzaken hoe we succes definiëren en of ons leven uiteindelijk een tevredenstellend saldo blijkt te hebben opgeleverd. Misschien is er niet een bepaalde dag waarop je eens rustig gaat zitten en tot jezelf zegt: 'Luister eens, ik, hoe kun je de lichtpuntjes in deze situatie zien?' Maar ik hoop dat deze ideeën zich door de moeilijke momenten heen weten te filteren en hun neus steken in de werkhokjes, kantoren, woonkamers, bestuurskamers en slaapkamers waar marsroutes worden bepaald, richtingen worden veranderd en inspiratie wordt geboren.

Ik nodig je uit om je open te stellen voor nieuwe mogelijkheden. Laten we er een gooi naar doen totdat we het echt voor elkaar kunnen krijgen. Laten we visies creëren voor een ideale toekomst.

Je hoeft je baan niet op te zeggen. Maar denk eens na over hoe je je koers een halve graad kunt verleggen. Het zou kunnen dat je eerste woorden nadat je 's avonds thuiskomt, zijn: 'Ik ben er weer! Kan ik iets voor je doen?' Probeer dat maar eens. Misschien heb je wel een nietszeggend baantje. Je vindt er niks aan. Je doet het voor het geld, ook al verdien je er niet veel mee. Probeer eens op een andere manier naar je werk te kijken. Zoek iets in je leven dat geweldig mooi is. Volg die lijn. Doe vrijwilligerswerk. Zelfs als je in de allerergste situatie zit, is er nog hoop. Daag jezelf uit. Bepaal zelf de hoogte van de lat. Geef een nieuwe definitie aan je succesnormen. Creëer kansen voor jezelf. Herwaardeer je situatie.

We trekken allemaal samen op. We zijn op weg naar iets groots, en het wordt iets moois.

DANKWOORD

Iets voor elkaar krijgen in een start-up kan moeilijk zijn. Er zijn veel hobbels op de weg. In de loop van de jaren heb ik ontdekt dat ikzelf een van de grootste hobbels ben. Ik ben altijd aan het praten, grappen maken, ideeën rondstrooien, vragen stellen en over persoonlijke grenzen heen banjeren in de naam van innovatie en op een manier die ikzelf 'leuk en normaal' vind, maar waar anderen mogelijk heel anders over denken. In het algemeen neig ik ertoe een onzeker makend effect te hebben op de mensen om me heen. Dus hierbij wil ik graag een applaus geven aan iedereen die het in de loop van mijn carrière heeft uitgehouden om naast me te zitten: ik ben dankbaar voor jullie vermogen om je te concentreren.

Om wat preciezer te zijn: ik wil naast mijn prachtige, slimme, lieve vrouw Livia graag mijn dank uitspreken aan nog wat andere mensen.

Dank je wel Mandy Stone, Margery Norton, Sarkis Love, Lucien Renjilian-Burgy, Joy Renjilian-Burgy, Donald Burgy, Steve Snider, Marc Ginsburg, Dan Godrick, Jason Yaitanes, Greg Yaitanes, Greg Pass, Jack Dorsey, Evan Williams, Sara Williams, Jason Goldman, Peter Jacobs, Hilary Liftin, Raymond Nasr, Ben Greenberg, Lydia Wills, Nicole Bond, Katie Alpert, Camille Hart, Lauren Hale, Steven Johnson, Steven Colbert, Ron Howard, Charles Best, Chrysi Philalithes, Doc G, Arianna Huffington, Brian Sirgutz, Al Gore, Bill Clinton,

Bijan Sabet, Bono, Reid Hoffman, Roya Mahboob, Kevin Thau, Ben Finkel, Brian Kadar, Alexa Grafera, Austin Sarner, Luke St. Clair, Steve Jenson, Jason Shellen, Noah Glass, Alexander Macgillivray, Yukari Matsuzawa, Abdur Chowdhury, Giorgetta en Leo McRee, Fritz Glasser, Meghan Chavez, Wellesley High School en, voor de zekerheid, mijn vroegere, huidige en toekomstige eigen persoontje.

Voor de duidelijkheid: als je dit boek hebt gelezen, dan weet je dat ik me op het allerlaatst heb moeten haasten. En helemaal toen ik in de allerlaatste minuut – of daarna nog – het dankwoord moest schrijven. Dat betekent dat ik waarschijnlijk mensen vergeet te noemen die een rol hebben gespeeld in mijn succes. Je komt niet op het niveau van succes en persoonlijk geluk dat ik heb bereikt zonder de medewerking van honderden, misschien wel duizenden andere mensen.

Dus als ik jou ben vergeten te noemen, dan dank ik je hierbij alsnog. Je oogst wat je hebt gezaaid. Als je mij hebt geholpen, weet dan in elk geval dat ik dat waardeer. Ik wens je al het goede en geluk en gezondheid.

Dank je wel,
Biz

Bij de productie van dit boek is gebruikgemaakt van papier dat het keurmerk Forest Stewardship Council® (FSC®) draagt. Bij dit papier is het zeker dat de productie niet tot bosvernietiging heeft geleid. Ook is het papier 100% chloor- en zwavelvrij gebleekt.